# IRÈNE NÉMIROVSKY

*Ardor en la sangre*

# IRÈNE NÉMIROVSKY

❖

# *Ardor en la sangre*

❖◆ PEQUEÑOS TESOROS ◆❖

*En 1941, tras la ocupación nazi de París y debido a su condición de judía, Irène Némirovsky y su familia se vieron obligados a huir de la capital francesa y refugiarse en Issy-l'Evêque, un pequeño pueblo de la Borgoña, que sirvió de inspiración a la autora para ambientar esta fábula sobre el peso de los secretos, la herencia y la fatalidad, y su efecto devastador en la esencia mojigata, mezquina y monótona de la vida de provincias.*

*Silvio, el narrador de esta historia, guarda celosamente algunos sucesos del pasado que parecían sepultados, y que resurgen de manera inesperada cuando un crimen quiebra la placidez de esta comunidad rural. Los primeros capítulos de esta cautivadora novela fueron descubiertos entre los papeles de Némirovsky por sus hijas, quienes los ocultaron tras la deportación de sus padres a Auschwitz. No fue hasta 2005 que los archivos recuperados fueron depositados en el Institut Mémoires de l'Édition Contemporaine, donde los biógrafos de la escritora hallaron el resto del manuscrito, lo que permitió completar y dar a conocer esta obra inédita de la autora.*

*A Olivier Rubinstein,*

*esta última novela de mi madre,*

*a quienes la descubrieron,*

*Olivier Philipponnat y Patrick Lienhardt,*

*y a todos los que se han involucrado*

*en este* Ardor en la sangre.

**DENISE EPSTEIN**

# CAPÍTULO I

*B*ebíamos un ponche suave, como cuando era joven. *Estábamos sentados delante del fuego, mis primos* Érard, los niños y yo. Era un atardecer de otoño, carmesí sobre los campos arados empapados de lluvia; el poniente en llamas presagiaba un ventarrón para el día siguiente; los cuervos graznaban. En este caserón helado el aire sopla por todos lados con el sabor acre y afrutado que tiene en esta estación. Mi prima Hélène y su hija Colette tiritaban bajo los chales de cachemir de mi madre que les había prestado. Como siempre que vienen a verme, me preguntaban cómo me las arreglaba para vivir en esta pocilga, y Colette, que está a punto de casarse, me cantaba las alabanzas del Moulin-Neuf, donde va a vivir a partir de ahora y «donde espero verlo a menudo, primo Silvio», decía. Me miraba con conmiseración. Soy viejo, pobre, estoy soltero; vivo recluido en una casa de labranza, en lo más profundo del bosque. Saben que he viajado, que he fundido mi herencia; hijo pródigo, cuando volví a mi tierra natal hasta el becerro cebado había muerto de viejo después de esperarme en vano mucho tiempo. Mis primos Érard, comparando para sus adentros su suerte con la mía, seguramente me perdonaban todo el dinero que les había pedido prestado sin devolvérselo, y repetían con Colette:

—Aquí vives como un salvaje, querido. Tendrías que irte a vivir con la pequeña cuando empiece el buen tiempo y se haya instalado en la nueva casa.

Pero también paso mis buenos ratos, aunque no lo crean. Hoy estoy solo; ha caído la primera nevada. Esta comarca, en el centro de Francia, es agreste pero rica. Cada cual vive en su casa, en su finca, desconfía del vecino, cosecha su trigo, cuenta sus ahorros y no se preocupa de nada más. No hay castillos, no hay visitas. Aquí reina una burguesía todavía muy cercana al pueblo, que apenas ha salido de él, de sangre pletórica y apegada a todos los bienes de la tierra. Mi familia cubre la comarca con una red extensa de Érards, Chapelins, Benoîts y Montrifauts. Son granjeros ricos, notarios, funcionarios, terratenientes; viven en casonas aisladas, construidas lejos del pueblo, defendidas por grandes puertas toscas, con cerrojo triple, como las de las cárceles, precedidas por jardines llanos y casi sin flores: solo unas hortalizas y unos frutales en espaldera para que produzcan más. Los salones, atestados de muebles, siempre están cerrados; la vida se hace en la cocina para ahorrar calefacción. No me refiero a François y Hélène Érard, por supuesto; no conozco ninguna casa más agradable ni acogedora, ningún hogar más íntimo, más alegre y cálido. Pese a todo, para mí no hay nada mejor que las veladas en que la soledad es completa; mi criada, que duerme en el pueblo, encierra las gallinas y va de camino a casa. Oigo el ruido que hacen sus zuecos mientras se aleja. Me quedo con mi pipa, mi perro entre los pies, las carreras de los ratones en el desván, el chisporroteo del fuego, sin periódicos, sin libros, solo una botella de tinto que se va templando junto a los morillos.

—¿Por qué le llaman Silvio, primo? —pregunta Colette.

Le contesto:

—Una bonita mujer que se enamoró de mí y decía que parecía un gondolero, porque entonces, hace treinta años, yo llevaba bigote imperial y pelo negro, me cambió mi nombre de pila por el de Silvio.

—Pues no, usted lo que parece es un fauno —dice Colette—, con esa frente tan amplia, esa nariz respingona, esas orejas puntiagudas y esos ojos risueños. Silvestre, el hombre de los bosques, le pega mucho.

De todos los hijos de Hélène, Colette es mi preferida. No es que sea guapa, pero tiene lo que más me gustaba en las mujeres cuando era joven: fuego. Sus ojos también son risueños, al igual que su gran boca; el cabello negro es fino y sus ricitos sobresalían del chal con el que se había cubierto la cabeza, porque se quejaba de una corriente en la nuca. Dicen que se parece a Hélène cuando era joven. Pero yo no me acuerdo. Desde que nació su tercer hijo, el pequeño Loulou, que ahora tiene nueve años, Hélène ha engordado, y la mujer de cuarenta y ocho años y piel suave y deslucida suplanta en mi memoria a la Hélène veinteañera que conocí. Ahora tiene un aire de placidez feliz y tranquila. Esta velada en mi casa era una visita de presentación oficial para que conociera al prometido de Colette, Jean Dorin, de los Dorin del Moulin-Neuf, molineros de padre a hijo. Un hermoso río, verde y espumoso, corre al pie de ese molino. Yo iba allí a pescar truchas cuando Dorin padre aún vivía.

—Nos servirás buenos platos de pescado, Colette —dije.

François, el marido de Hélène, rechaza mi ponche: solo bebe agua. Tiene una perilla gris afilada y fina, y se la acaricia suavemente con la mano.

—No echarás de menos el mundo cuando te hayas ido; o, más bien, cuando él te haya dejado, como ha hecho conmigo... —le comento, porque a veces tengo la impresión de que la vida, como un mar demasiado bravo, me ha arrojado a una triste orilla, como a una vieja barca todavía sólida pero despintada por el agua y corroída por la sal—. Como no te gustan ni el vino, ni la caza, ni las mujeres, no extrañarás nada.

—Echaré de menos a mi mujer —dijo él sonriendo.

Fue entonces cuando Colette se sentó junto a su madre y le espetó:

—Mamá, cuéntame cómo os hicisteis novios papá y tú. Nunca me has hablado de tu boda. ¿Por qué? Sé que fue una historia novelesca, que llevabais mucho tiempo enamorados... Nunca me lo has contado. ¿Por qué?

—Porque tú no me lo has preguntado.

—Pero te lo pregunto ahora.

Hélène se defendía riendo:

—No es asunto tuyo —decía.

—No quieres decírmelo porque te da vergüenza delante de todos; pero por el primo Silvio no puede ser: seguro que lo sabe todo. ¿Es por Jean? Pero mañana será tu hijo, mamá, y tiene que conocerte como te conozco yo. ¡Me encantaría que él y yo viviéramos como tú con papá! Estoy segura de que nunca os habéis peleado.

—No es por Jean —dijo Hélène—, sino por esos bobalicones —y señaló a sus hijos con una sonrisa.

Estaban sentados en el suelo y tiraban piñas al fuego; tenían los bolsillos llenos; las piñas restallaban entre las llamas con un chasquido vivo y claro. Georges y Henri, que tienen quince y trece años, replicaron:

—Por nosotros puedes contarlo, no te cortes. Vuestras historias de amor no nos interesan —dijo con desdén Georges, con esa voz que le estaba cambiando.

Y Loulou, el pequeño, se había quedado dormido.

Pero Hélène negaba con la cabeza y no quería hablar. El prometido de Colette intervino tímidamente:

—Ustedes son una pareja modélica. Espero que también... algún día, claro está... nosotros...

Farfullaba. Parece buen chico; tiene facciones finas, suaves, ojos bonitos e inquietos de liebre. Es curioso que Hélène y Colette, madre e hija, hayan buscado como marido al mismo tipo de hombre, sensible, delicado, casi femenino, fácil de manejar y, al mismo tiempo, reservado, huraño, casi púdico. ¡Caray, qué distinto era yo! Les observaba a todos. Estaba un poco apartado. Habíamos comido en el cuarto de estar, que es la única estancia habitable de mi casa, junto con la cocina; yo dormía en una especie de buhardilla, en el desván. El cuarto de estar siempre es un poco sombrío y aquella tarde de noviembre estaba tan oscuro que, a medida que el fuego iba apagándose, lo único que se veía eran los grandes calderos y los viejos calientacamas colgados de la pared, que al ser de cobre captaban el menor resplandor. Cuando se reavivaban las llamas, iluminaban rostros plácidos, sonrisas benevolentes, la mano de Hélène con su anillo de oro acariciando los rizos del pequeño Loulou. Hélène llevaba un vestido azul con lunares blancos. El jersey de cachemira estampado de mi madre le cubría los hombros. François estaba sentado a su lado y ambos contemplaban a los niños, a sus pies. Quise volver a encender mi pipa y para ello saqué del fuego un trozo de madera encendido, que proyectó su fulgor sobre mi cara. Supongo que no era el único que observaba lo que ocurría a mi alrededor y que Colette también estaba ojo avizor, porque de repente exclamó:

—¡Qué expresión tan socarrona tiene, primo Silvio! Lo he notado muchas veces.

Luego, volviéndose hacia su padre:

—Sigo esperando el relato de vuestros amores, papá.

—Voy a contar —dijo François— mi primer encuentro con vuestra madre. Vuestro abuelo vivía entonces en el pueblo. Como sabéis, se había casado dos veces. Vuestra mamá era fruto del primer matrimonio, y su madrastra, por su lado, tenía una hija, también de un primer marido. Lo que no sabéis es que pensaban casarme con esa chica, es decir, la hermanastra de vuestra madre.

—Anda, qué gracia —dijo Colette.

—Pues sí, ya veis lo que son las cosas. Entro por primera vez en esa casa, a remolque de mis padres. Me encaminaba al matrimonio como un perro apaleado. Pero mi madre estaba empeñada en darme un futuro, la pobre, y a fuerza de súplicas había obtenido esa entrevista que no me comprometía a nada, como quiso dejar claro. Entramos. Imaginaos el más adusto, el más frío de los salones provincianos. Encima de la chimenea había dos hachones de bronce que representaban las llamas del Amor; todavía los recuerdo con espanto.

—¡Yo también! —dijo Hélène riendo—. Esas llamas heladas e inmóviles en aquel salón que no se calentaba nunca tenían un significado simbólico.

—La segunda esposa de vuestro abuelo, no os lo voy a ocultar, tenía un carácter...

—Calla —dijo Hélène—, está muerta.

—Por suerte... Pero vuestra madre tiene razón: paz a los muertos. Era una señora muy corpulenta y pelirroja, con un gran moño rojo y la tez muy clara. Su hija parecía un nabo. Durante todo el tiempo que duró mi visita esa infeliz no dejó de cruzar y separar sobre las rodillas unas manos hinchadas de sabañones, y no dijo esta boca es mía. Era invierno. Nos sirvieron seis galletas en un platito y unos bombones pasados. Mi madre, que era friolera, no paraba de estornudar. Yo acorté lo que pude la visita. Y entonces, cuando por fin salimos de la casa, había empezado a nevar y vi a los niños que volvían de la escuela cercana y, entre ellos, corriendo y resbalando en la nieve, calzada con grandes zuecos de madera, vestida con una esclavina roja, con el pelo negro revuelto, las mejillas coloradas y nieve en la punta de la nariz y las pestañas, a una niña que entonces tendría trece años. Era vuestra mamá: huía de unos chicos que le tiraban bolas de nieve a la cabeza. Cuando estaba a dos pasos de mí, se volvió, cogió un poco de nieve con las dos manos y la lanzó riendo; y luego, como tenía un zueco lleno de nieve, se lo quitó y se quedó de pie en el umbral saltando a la pata coja, con el pelo negro cubriéndole la cara. Después de dejar atrás ese salón glacial y a esa gente tan envarada, no os imagináis lo viva y seductora que me pareció esa niña. Mi madre me dijo quién era. Fue en ese momento cuando decidí que me iba a casar con ella. Sí, reíos, chicos. Más que un deseo o un capricho fue una especie de visión. Me la imaginé más adelante, pasados unos años, saliendo de la iglesia a mi lado, mi mujer. Ella no era feliz. Su padre estaba viejo y enfermo; su madrastra la descuidaba. Me las arreglé para que mis padres la invitaran a casa. Le ayudé con los deberes; le presté libros; organicé meriendas campestres y fiestas solo para ella. Que no sospechaba nada...

—Que te crees tú eso —intervino Hélène, y bajo las canas sus ojos brillaron con picardía y sus labios esbozaron una sonrisa muy juvenil.

—Me marché a estudiar a París; no se pide en matrimonio a una chiquilla de trece años. De modo que me fui diciéndome que volvería al cabo de cinco años y pediría su mano, pero ella se casó con diecisiete años; se casó con un hombre muy cabal, solo que mucho mayor que ella. Se habría casado con cualquiera con tal de huir de su madrastra.

—Al final —dijo Hélène— se había vuelto tan roñosa que solo teníamos un par de guantes para mi hermana y para mí. Se suponía que debíamos turnarnos para ponérnoslos cuando íbamos de visita. En realidad mi madrastra se las arreglaba para castigarme cada vez que debíamos salir y era su hija la que se los ponía, unos guantes de cabritilla acharolada preciosos. Me daban tanta envidia que la posibilidad de tener unos iguales para mí, para mí sola, cuando estuviera casada, hizo que me decidiera a decir que sí al primero que me pidió en matrimonio y que no me quería. Qué tonta es una cuando es joven...

—Me llevé un disgusto tremendo —dijo François— y, a mi regreso, cuando vi a la joven encantadora y un poco triste en que se había convertido mi amiguita, sentí pasión por ella... Ella, por su parte...

Calló.

—¡Ahí va, se han puesto colorados! —exclamó Colette batiendo palmas mientras miraba ora a su padre, ora a su madre—. ¡Venga, soltadlo todo! Es ahí donde empieza el romance, ¿a que sí? Hablasteis, os entendisteis. Él se marchó otra vez, con el corazón encogido, porque tú no eras libre. Esperó fielmente y, cuando enviudaste, regresó y se casó contigo. Vivisteis felices y tuvisteis muchos hijos.

—Pues sí, es justo así —dijo Hélène—, pero, Dios mío, antes de eso ¡cuántos disgustos, cuántas lágrimas derramadas! ¡Todo parecía tan difícil de arreglar, tan imposible! Qué lejos ha quedado todo... Cuando murió mi primer marido vuestro padre estaba de viaje. Pensé que se había olvidado de mí, que no iba a volver. Cuando se es joven no se tiene paciencia. Cada día que pasa es un día perdido para el amor, eso te destroza. Al final volvió.

Fuera ya era noche cerrada. Me levanté y cerré los grandes postigos de madera maciza que emiten un sonido lúgubre gimiendo en el silencio. Ese ruido les sobresaltó y Hélène dijo que era hora de volver a casa. Jean Dorin se levantó obedientemente para ir a buscar los abrigos de las mujeres, que estaban en mi cuarto. Oí que Colette preguntaba:

—Mamá, ¿y tu hermanastra? ¿Qué fue de ella?

—Murió, cielo. No sé si recuerdas que hace siete años tu padre y yo fuimos a un entierro en Coudray, en Nièvre. Era la pobre Cécile.

—¿Era tan mala como su madre?

—¿Ella? ¡Oh, no, pobrecita! No había mujer más dulce y complaciente. Me quería con ternura y yo la correspondía. Fue una verdadera hermana para mí.

—Qué raro que nunca viniera a vernos...

Hélène no contestó. Colette le hizo una pregunta más; su madre tampoco contestó. Al final, ante la insistencia de Colette, la madre dijo:

—Oh, eso es agua pasada —y su voz sonó extraña, alterada y lejana a la vez, como si hablara en sueños.

Entonces el novio volvió con los abrigos y salimos. Acompañé a mis primos. Viven a cuatro kilómetros de aquí, en una casa preciosa. Íbamos por un camino estrecho y embarrado, los chicos delante, con su padre, luego lo novios y detrás Hélène y yo.

Hélène me hablaba de los jóvenes:

—Parece un buen chico este Jean Dorin, ¿verdad? Se conocen desde hace mucho. Lo tienen todo para ser felices. Su vida será como la mía con François: una vida tranquila, unida, digna... sobre todo tranquila... sin sobresaltos, sin zozobras... ¿Tan difícil es ser feliz? Me parece que el Moulin-Neuf tiene algo tranquilizador. Siempre soñé con una casa junto a un río, despertarme por la noche, calentita en mi cama, y oír el agua correr. No tardará en llegar un niño —prosiguió, soñando despierta—. Dios mío, si a los veinte años supiéramos lo sencilla que es la vida…

Me despedí de ellos junto a la verja del jardín, que se abrió con un chirrido agudo y volvió a cerrarse con esa nota grave, baja, como un golpe de gong que depara al oído un placer singular, del mismo orden que un borgoña añejo da al paladar. La casa está cubierta por una enredadera verde y frondosa, que el menor soplo de viento peina con estremecimientos tornasolados, pero en esta estación solo quedaban unas hojas secas y la malla de alambre bañada por la luna. Cuando los Érard entraron en casa me quedé un momento en el camino con Jean Dorin y vi cómo se iluminaban una a una las ventanas del cuarto de estar y los dormitorios; sus apacibles luces resplandecían en medio de la noche.

—¿Contamos con usted para la ceremonia? —me preguntó ansiosamente el novio.

—¡Cómo no! Hace diez años que no voy a un banquete de boda —dije, y rememoraba todos aquellos a los que había tenido ocasión de asistir, esas largas comilonas provincianas, las caras rojas de los bebedores, los camareros contratados en el pueblo vecino junto con las sillas y la tarima para el baile, el helado de molde de postre, el novio sufriendo en sus zapatos demasiado estrechos y, sobre todo, salidos de todos los recovecos del campo circundante, la familia, los amigos, los parientes, los vecinos, perdidos de vista desde hacía años, que vuelven de repente como corchos en el agua, trayendo cada uno recuerdos de desavenencias cuyo origen se pierde en la noche de los tiempos, de amores y odios muertos, de noviazgos rotos y olvidados, de historias de herencias y pleitos...

El viejo tío Chapelain casado con su cocinera, las señoritas Montrifaut, dos hermanas que no se hablan desde hace catorce años, aunque viven en la misma calle, porque una de ellas, un día, no le quiso prestar a la otra su cacerola para hacer mermelada, y el notario cuya mujer se largó a París con un viajante de comercio, y... ¡Dios mío, qué congregación de fantasmas es una boda de provincias! En las grandes ciudades la gente se ve todo el tiempo o no se ve nunca, es más sencillo. Aquí... corchos en el agua, os digo. ¡Pluf! Surgen de repente y, en el remolino que forman, ¡cuántos viejos recuerdos! Luego se sumergen y, durante diez años, se olvidan por completo.

Silbé a mi perro, que nos había seguido, y me despedí no muy cortésmente del novio. Se está bien en casa. Con la lumbre baja. Cuando el fuego deja de jugar, de bailar, de lanzar en todas direcciones sus resplandecientes llamas y miles de chispas que se pierden sin luz, ni calor, ni provecho para nadie, cuando se limita a hacer que el puchero hierva suavemente, entonces es cuando mejor se está.

Colette se casó el 30 de noviembre al mediodía. Un gran banquete seguido de un baile congregó a la familia. Volví a casa de madrugada por el bosque de Maie, cuyos senderos, en esta estación, están cubiertos de una alfombra tan espesa de hojas y una capa de barro tan profunda que cuesta andar por ellos, como en un pantano. Me había quedado en casa de los primos hasta muy tarde. Estaba esperando: había alguien a quien quería ver bailar... Moulin-Neuf está cerca de Coudray, donde antes vivía Cécile, la hermanastra de Hélène; murió, pero dejó en Coudray a su heredera, su pupila, una niña que había acogido y ahora está casada; se llama Brigitte Declos. Me imaginaba que Coudray y el Moulin-Neuf vivirían en buena vecindad y que esa joven haría acto de presencia. Así fue, no faltó a la fiesta.

Me pareció alta y muy guapa, con aire de audacia, fuerza y salud. Morena y de ojos verdes debía tener veinticuatro años. Llevaba un vestido negro corto. De todas las mujeres presentes era la única que no se había endomingado para acudir a la boda. Hasta me dio la impresión de que se había vestido de un modo tan sencillo a propósito, para remarcar su desdén por la suspicacia provinciana: le hacían de menos. Todos sabían que era una niña adoptada, tan poca cosa como esas chiquillas de la Beneficencia empleadas en nuestras granjas. Además se había casado con un hombre que es casi un campesino, viejo, tacaño y astuto; posee las mejores fincas de la comarca, pero solo habla *patois* y lleva él mismo sus vacas a pastar. Parece que ella sabe sacar provecho de su dinero: el vestido que llevaba era de París y lucía varios anillos adornados con grandes diamantes. Conozco bien al marido: fue él quien compró poco a poco mi magra herencia. Los domingos me lo cruzo a veces en los caminos. Se pone zapatos y una gorra; va afeitado y acude a contemplar los prados que le he cedido, donde ahora pacen sus animales. Se arrima a la cerca; planta en el suelo el bastón grande y nudoso del que no se separa nunca; apoya la barbilla en las manos, grandes y fuertes, y mira al frente. Yo paso de largo. Voy de paseo con mi perro, o salgo a cazar; vuelvo a casa al anochecer y él sigue allí; no se ha movido un ápice; ha contemplado su posesión; es feliz. Su joven esposa no se acerca nunca por aquí y yo tenía ganas de verla. Le había pedido información sobre ella a Jean Dorin:

—Ah, ¿de modo que la conoce? —preguntó—. Somos vecinos y su marido es uno de mis clientes. Les in-
vitaré a mi boda y tendremos que recibirles, pero no me
gustaría que se hiciera amiga de Colette. No me hace
gracia su desenvoltura con los hombres.

Cuando la joven entró, Hélène estaba de pie, no lejos
de mí. Se la veía emocionada y cansada. Habíamos ter-
minado de comer. Habían servido un banquete de cien
cubiertos en una tarima traída de Moulins y montada
bajo una carpa. La temperatura era suave, el tiempo sereno y húmedo. A veces se levantaba una esquina de la
lona y veíamos el jardín grande de los Érard, los árboles
desnudos, el estanque lleno de hojas secas. A las cinco,
retiradas las mesas, empezó la música. Seguían llegando
invitados; eran los más jóvenes, que no querían perderse
el baile, dejando a los mayores lo de comer y beber en
exceso; entre nosotros las diversiones escasean; Brigitte
Declos estaba con ellos, pero no parecía que tuviera
amistad estrecha con nadie; venía sola. Hélène le estre-
chó la mano como a los demás; solo por un instante frun-
ció los labios e hizo ese mohín sonriente y valiente con el
que las mujeres disimulan sus pensamientos más íntimos.

Después los ancianos cedieron a los jóvenes el salón
de baile improvisado y entraron en la casa. Se arrimaron
al fuego de las grandes chimeneas; en esas habitaciones

cerradas el ambiente era sofocante; se bebía granadina y ponche. Los hombres hablaban de la cosecha, de las fincas dadas en aparcería, del precio del ganado. En una reunión de gente madura hay algo imperturbable; se diría que esos cuerpos han digerido todos los platos pesados, amargos y picantes de la vida, que han eliminado todos los venenos y llevan diez o quince años en un estado de equilibrio perfecto, de salud moral envidiable. Ufanos de sí mismos. Ya han cumplido la ardua e inútil tarea de juventud de intentar adaptar el mundo a sus deseos. Han fracasado y ahora descansan. Dentro de unos años, de nuevo, serán presa de una sorda inquietud que esta vez será la de la muerte; la muerte pervertirá de forma extraña su talante, les hará indiferentes, o extravagantes, o malhumorados, incomprensibles para su familia, ajenos para sus hijos. Pero de los cuarenta a los sesenta disfrutan de una paz precaria.

Todo eso sentía, con mucha fuerza, después de la buena comida y aquellos vinos excelentes, recordando tiempos pasados y a mi cruel enemigo, que me había arrancado de estos pagos. Intenté ser funcionario en el Congo, comerciante en Tahití, trampero en Canadá. Nada me contentaba. Creía que buscaba fortuna; en realidad lo que me empujaba era la calentura de mi sangre joven. Pero como esos ardores se han extinguido, ya no me entiendo. Pienso que he recorrido un largo camino inútil para volver a mi punto de partida. Lo único de lo que estoy satisfecho es de no haberme casado nunca, pero no me hacía falta recorrer el mundo. Debería haberme quedado aquí, a cultivar mi tierra; ahora sería rico. Sería el tío de la herencia. Sentiría que había ocupado mi sitio en la sociedad en vez de flotar entre toda esta gente pesada y tranquila como el viento entre los árboles.

Fui a ver a los jóvenes bailar. En plena noche se veía el toldo enorme, transparente, de donde salían los sonidos metálicos de la orquesta. Dentro habían instalado una iluminación improvisada: ristras de bombillitas eléctricas cuya claridad proyectaba en la lona las sombras de los bailarines. Era como los bailes del 14 de julio y los de las verbenas, pero así se estila entre nosotros... El viento de otoño silbaba entre los árboles y la carpa, por momentos, parecía balancearse, un poco como un barco. Visto así, desde lejos, desde la oscuridad, el espectáculo me producía una sensación extraña y triste. No sé por qué. Tal vez por el contraste entre esta naturaleza inmóvil y la agitación de la juventud. ¡Pobrecillos! Se entregaban con entusiasmo. Las chicas sobre todo: entre nosotros su educación es severa y casta. Hasta los dieciocho años, el internado en Moulins o Nevers; luego aprenden las tareas domésticas y el gobierno de una casa, bajo la vigilancia materna, hasta que se casan. No es de extrañar que su cuerpo y su alma estén llenos de fuerza, salud y deseos.

Entré en el entoldado; les miraba; oía sus risas; me preguntaba por qué les gustaría tanto ese meneo acompasado. Desde hace algún tiempo, siento una suerte de perplejidad ante los jóvenes, como si contemplara una especie animal distinta de la mía, como un perro viejo contemplaría a unos ratones bailando. Pregunté a Hélène y a François si sentían algo parecido. Se rieron y me contestaron que yo no era más que un viejo egoísta, que ellos, gracias a Dios, no habían perdido el contacto con sus hijos. ¡Quia! Creo que se hacen muchas ilusiones. Si vieran renacer ante ellos su propia juventud, les horrorizaría o, más bien, no la reconocerían; pasarían delante de ella y dirían: «Ese amor, esos sueños, ese fuego, no son los nuestros». Su propia juventud... Entonces, ¿qué pueden entender de la de los demás?

Mientras la orquesta se tomaba un descanso oí el motor del coche que llevaba a los recién casados al Moulin-Neuf. Escudriñé entre las parejas para localizar a Brigitte Declos. Estaba bailando con un joven alto y moreno. Pensé en su marido. Qué imprudente. Aunque bien mirado, es juicioso, a su manera. Calienta su viejo cuerpo bajo un edredón rojo y su vieja alma con títulos de propiedad, mientras su mujer goza de su juventud.

El día de Año Nuevo almuerzo en casa de mis primos Érard. Aquí tenemos la costumbre de que la visita sea larga, llegar al mediodía, quedarse por la tarde, cenar con las sobras de la comida y regresar de noche. François tenía que visitar una de sus fincas; era un invierno riguroso; las carreteras estaban cubiertas de nieve. Salió hacia las cinco y le esperábamos para cenar, pero dieron las ocho y aún no había vuelto.

—Se habrá entretenido —dije—. Dormirá en la quinta.

—Qué va, sabe que le estoy esperando —contestó Hélène—. Desde que nos casamos nunca ha pasado una noche fuera sin avisarme. Vamos a la mesa, no tardará.

Los tres chicos estaban ausentes, invitados en casa de su hermana, en el Moulin-Neuf, donde se quedarían a dormir. Hacía mucho tiempo que no me encontraba a solas con Hélène. Hablamos del tiempo y de las cosechas, que son aquí los únicos temas de conversación; nada turbó nuestra cena. Realmente, estos parajes tienen un algo de apartado y salvaje, de opulento y receloso, propio de otros tiempos. La mesa del comedor parecía demasiado grande para nuestros dos cubiertos. Todo brillaba; todo tenía un aspecto de limpieza y calma, los muebles de roble, el parqué reluciente, la vajilla de flores, el gran aparador de panza abombada como ya solo se ven por aquí, el reloj, los adornos de cobre de la chimenea, la lámpara colgante y ese pasaplatos de roble tallado que comunica con la cocina. ¡Qué ama de casa está hecha mi prima Hélène! ¡Cuánto sabe de mermeladas, conservas y repostería! ¡Cómo cuida su gallinero y su huerto! Le pregunté si los doce gazapos que había criado con biberón al morir su madre habían salido adelante.

—Están orondos —me dijo.

Pero la notaba distraída. Miraba al reloj y aguzaba el oído, atenta al ruido de un coche.

—Ya veo, estás preocupada por François. Pero ¿qué podría pasarle?

—Nada, primo, es que François y yo casi nunca nos separamos, vivimos tan juntitos que cuando no está a mi lado sufro, me preocupo, ya sé que a ti te parecerá una tontería...

—Estuvisteis separados durante la guerra...

—Ay —dijo ella, y se estremeció con ese recuerdo—, fueron cinco años tan duros, tan terribles... A veces creo que nos redimieron de todo lo pasado.

Se hizo el silencio entre nosotros; el pasaplatos crujió al abrirse y la criada nos tendió una tarta de manzana, de las últimas del invierno. El reloj dio las nueve. Desde el fondo de la cocina, la criada dijo:

—El señor nunca había vuelto tan tarde.

Nevaba. Estábamos en silencio. Llamamos al Moulin-Neuf; por allí todo bien. Hélène me echó en cara mi pereza:

—¿Cuándo te decidirás a hacerle una visita a Colette?

—Queda muy lejos —dije.

—Viejo búho... Ya no hay forma de sacarte de tu agujero. Y pensar que hubo un tiempo... Cuando viviste entre salvajes, Dios sabe dónde... y ahora, para ir de Mont-Tharaud al Moulin-Neuf, «queda muy lejos» —repitió imitándome—. Tienes que verles, Silvestre. Son tan felices esos chicos. Colette se ocupa de la granja; su lechería es modélica. Aquí era un poco remolona, se dejaba mimar. En su casa es la primera en levantarse, en ponerse manos a la obra y en ocuparse de todo. El viejo Dorin remozó completamente el Moulin-Neuf antes de morir. Ya les han ofrecido novecientos mil francos por él. Naturalmente, no piensan en vender: el molino pertenece a la familia desde hace ciento cincuenta años. Piensan en disfrutarlo; lo tienen todo para ser felices: trabajo y juventud.

Mi prima siguió hablando así, fantaseando sobre el futuro y viendo ya en su imaginación a los niños de Colette. Fuera, el gran cedro cargado de nieve crujía y gemía. A las nueve y media cambió bruscamente de tema de conversación.

—Pues sí que es extraño. Debería haber vuelto a las siete.

Hélène ya no tenía hambre; apartó el plato y esperamos en silencio. Pero el tiempo pasaba y él seguía sin llegar. Hélène levantó la vista hacia mí.

—Cuando una mujer quiere a su marido como yo a François, no debería sobrevivirle. Es mayor que yo y más frágil... A veces tengo miedo.

Echó un leño al fuego.

—Dime, mi buen amigo, ante un acontecimiento de tu vida ¿piensas a veces en el momento del que surgió, en el germen del que nació? No sé cómo explicarme... Imagina un campo en la época de la sementera, en todo lo que contiene un grano de trigo, las cosechas futuras... Pues bien, en la vida sucede exactamente lo mismo. El momento en que vi a François por primera vez, en que nos miramos, todo lo que contenía ese momento... ¡es tremendo, es una locura, da vértigo!... Nuestro amor, nuestra separación, esos tres años que pasó en Dakar, cuando yo era la mujer de otro y... todo lo demás, querido primo... Luego, la guerra, los hijos... Cosas dulces, cosas dolorosas también, su muerte o la mía, la desesperación del que quede.

—Sí —dije—, si conociéramos de antemano la cosecha, ¿quién sembraría su campo?

—Todos, Silvio, todos —dijo llamándome por ese nombre que usaba en contadas ocasiones—. La vida es eso, penas y alegrías. Todos quieren vivir, salvo tú.

La miré sonriendo:

—¡Cuánto quieres a François !

Contestó simplemente:

—Le quiero mucho.

Alguien llamó a la puerta de la cocina. Era un chiquillo que la víspera se había llevado un jaulón para las gallinas y venía a devolverlo. A través de la puerta, que había quedado entornada, oí su voz chillona:

—Ha habido un accidente en el estanque de Buire.

—¿Qué ha pasado? —preguntó la cocinera.

—Un coche se ha partido en dos en la carretera y han llevado un herido a Buire.

—¿No sabrás cómo se llama?

—La verdad es que no lo sé —dijo el chico.

—Es François —dijo Hélène, muy pálida.

—¡Calla, estás loca!

—Sé que es François.

—Si hubiera tenido un accidente habría encargado a alguien que nos avisara.

—¿Acaso no le conoces? Para evitarme la molestia de ir a Buire en plena noche, tratará de que le traigan aquí, aunque esté herido, aunque esté moribundo.

—Pero no encontrará ningún coche en mitad de la noche y con esta nieve.

Hélène salió del comedor y fue al recibidor a ponerse el abrigo y la bufanda. Yo solo podía repetir:

—Estás loca, ni siquiera sabes si se trata de François. Además, ¿cómo piensas ir a Buire?

—Pues... a pie, si no hay más remedio.

—¡Once kilómetros!

Ni siquiera contestó. Intenté en vano conseguir un coche de uno de los vecinos: uno estaba averiado y el otro, el del médico, estaba ocupado por un enfermo que debía ser operado esa misma noche en el pueblo vecino. Con nieve alta las bicicletas no circulaban. No hubo más remedio que hacer el camino a pie, con un frío tremendo. Hélène andaba deprisa y sin hablar: estaba convencida de que François la estaba esperando en Buire. No traté de disuadirla: la creía perfectamente capaz de percibir a distancia la llamada de su marido herido. En el amor conyugal hay un poder sobrehumano. Como dice la Iglesia: es un gran misterio. Hay muchas otras cosas misteriosas en el amor.

En la carretera nos cruzamos con algún coche que circulaba muy despacio debido a la nieve. Hélène miraba dentro con ansiedad y gritaba: «¡François!», pero no había respuesta. No parecía cansada. Caminaba con paso firme sobre la capa helada que cubría la carretera, en plena noche, entre dos rodadas en la nieve, sin tropezar ni resbalar una sola vez. Yo me preguntaba cómo iba a reaccionar si, al entrar en Buire, no encontrase a François. Pero no se equivocaba. Era realmente su coche el que se había partido cerca del estanque. En la granja, encima de una gran cama, junto a la chimenea, François, tumbado, con una pierna rota, ardiendo de fiebre, lanzó un débil grito de alegría al vernos entrar:

—Oh, Hélène... ¿Por qué?... No hacía falta que vinieras... íbamos a enganchar una carreta para que me llevara a casa. Qué disparate, haber venido —repetía.

Pero mientras ella destapaba su pierna y empezaba a vendarla con movimientos ligeros, prudentes, diestros (había sido enfermera durante la guerra), vi que él le cogía la mano:

—Sabía que vendrías —murmuró—, me dolía y te estaba llamando.

François permaneció en cama todo el invierno; había sufrido una doble fractura de pierna. Hubo complicaciones, no sé cuales... Hoy solo lleva ocho días en pie.

Tuvimos un verano muy fresco y muy pocos frutos. Nada nuevo en nuestros campos. Mi prima Colette Dorin dio a luz el 20 de septiembre. Es un niño. Yo solo había estado en el Moulin-Neuf una vez desde la boda. Regresé con motivo de este nacimiento. Encontré a Hélène junto a su hija. De nuevo el invierno —monótona estación—. El proverbio oriental «los días se arrastran y los años vuelan» en ningún lugar es más cierto que aquí. Otra vez la noche que cae a las tres, el vuelo de los cuervos, la nieve en los caminos y, en cada casa aislada, la vida que parece encogerse, ofreciendo solo la más mínima superficie al mundo exterior, largas horas que pasan los lugareños junto a la lumbre, sin hacer nada, sin leer, sin beber, sin siquiera soñar.

Ayer, 1 de marzo, en un día soleado y ventoso, salí de casa temprano para cobrar un dinero en Coudray. Declos padre me debe ocho mil francos de la venta de mi prado. Me entretuve en el pueblo, donde me invitaron a un vino. Llegué a Coudray con el crepúsculo. Crucé un bosquecillo. Desde la carretera se veían los jóvenes y tiernos árboles verdes que separan Coudray del Moulin-Neuf. El sol se ponía. Cuando me adentré en el bosque la sombra de las ramas ya oscurecía la tierra. Me gustan nuestros bosques silenciosos. En ellos no sueles tropezarte con nadie. Me sorprendió oír de repente, cerca de mí, una voz de mujer que llamaba. Era una llamada modulada en dos notas muy altas. Alguien silbó en respuesta. La voz calló. Yo estaba entonces cerca del estanque. Los bosques de mi tierra tienen lagunas ocultas a las miradas, encerradas entre árboles, defendidas por círculos de juncos. Yo las conozco todas. Cuando llega la temporada de caza me paso la vida en sus orillas. Avancé muy despacio. El agua brillaba y a su alrededor había una tenue luz, como la que proyecta un espejo en una habitación oscura. Vi a un hombre y una mujer que caminaban el uno hacia el otro por el sendero entre los juncos. No podía distinguir sus caras, solo la forma de sus cuerpos (ambos eran altos y esbeltos) pero vi que la mujer llevaba una chaqueta roja. Seguí mi camino; no me vieron; se besaban.

Llegué a casa de Declos; estaba solo. Dormitaba en un butacón junto a la ventana abierta. Cuando abrió los ojos, exhaló un suspiro colérico y profundo y me miró un rato sin reconocerme.

Le pregunté si estaba enfermo. Pero es un campesino auténtico, para quien la enfermedad es una vergüenza que se esconde hasta el último momento, hasta los estertores de la muerte. Contestó que se sentía como nunca, pero el color bilioso de su piel, los cercos amoratados que rodeaban sus párpados, los pliegues de su ropa holgada sobre su cuerpo, su jadeo y su debilidad le delataban. Oí decir por ahí que padece «un cáncer malo». Debe de ser verdad. Brigitte no tardará en ser viuda y rica.

—¿Dónde está su mujer? —dije.

—¿Mi mujer, qué?

Por una vieja costumbre de chalán (ejerció ese oficio en su juventud) finge que está sordo. Acabó mascullando que su mujer estaba en el Moulin-Neuf, en casa de Colette Dorin: «Esa no tiene nada que hacer, se pasea y anda todo el día de visita», terminó con acritud.

Así fue como me enteré de que las dos mujeres se habían hecho amigas, algo que Hélène, sin duda, no sabe, porque hace unos días me aseguró que Colette solo vivía para su marido, su hijo y su casa, y que no salía nunca.

El viejo Declos me hizo señas de que me sentara en una silla. Es tan tacaño que para él invitar a vino es un sufrimiento, así que me regodeé pidiéndole un vaso para brindar a su salud.

—No oigo —gimió—, tengo un zumbido horrible en el oído: es por culpa del viento.

Le mencioné el dinero que me debe. Suspirando, sacó una llave grande del bolsillo y arrastró la butaca hasta el armario, pero el cajón que quería abrir estaba demasiado alto; hizo varios intentos infructuosos de alcanzarlo, no me quiso dar la llave cuando se la pedí y al final me dijo que su mujer no tardaría en llegar y me pagaría.

—Tiene una mujer joven y guapa, señor Declos.

—Demasiado joven para un carcamal, ¿no cree, señor Silvestre? Bah, bah, si para ella las noches son largas, los días pasan deprisa.

En ese momento entró Brigitte: llevaba una falda negra, una chaqueta roja, e iba acompañada por un joven: el mismo que había bailado con ella hacía tres años, en la boda de Colette. Terminé mentalmente la frase de su marido: «Más deprisa de lo que usted se imagina, compadre Declos».

Pero no parecía que el viejo se chupara el dedo. Miró a su mujer; su rostro medio muerto se encendió al instante de pasión y de ira.

—¡Por fin has llegado! Llevo esperándote desde la hora de comer.

Ella me tendió la mano y me presentó al chico que la acompañaba. Se llama Marc Ohnet; vive en las tierras de su padre; tiene fama de trotacalles, de pendenciero. Es muy guapo. Nunca ha llegado a mis oídos que Brigitte Declos y Marc Ohnet se «frecuenten», como se dice por aquí. Pero en estos parajes los cotilleos se detienen en las últimas casas de los pueblos, y en el campo, en las viviendas aisladas separadas entre sí por campos de cultivo, por nuestros bosques profundos, pasan muchas cosas que nadie conoce. Por mi parte, aunque una hora antes no hubiera visto una chaqueta roja al borde del estanque, habría adivinado que estos jóvenes se amaban por ese aire de tranquila impudicia y esa suerte de fuego sordo y oculto en sus movimientos y sus sonrisas. Sobre todo ella. *Ardía*. «Para ella las noches son largas», había dicho el viejo Declos. Me la imaginaba por la noche en el lecho con su viejo marido, soñando con el amante, contando los suspiros de su esposo, diciéndose: «¿Cuándo llegará el último?».

Brigitte abrió el armario, que imaginé repleto de dinero bajo las pilas de ropa, porque esta no es una región donde se enriquece a los banqueros; cada cual guarda sus caudales en casa, como se hace con un hijo querido. Miré de reojo a Marc Ohnet en busca de un destello de codicia, porque en su familia no son precisamente ricos: su padre era el mayor de catorce hermanos y la parcela que posee no es grande. Pero ¡no! Cuando apareció el dinero, el joven se dio la vuelta bruscamente. Se acercó a la ventana y contempló durante largo rato el espacio que tenía delante: la vaguada y los bosques se distinguían perfectamente en la noche clara. Era uno de esos días de marzo en que el viento parece aspirar hasta los últimos átomos de las nubes y las brumas; las estrellas despedían un brillo vivo y cortante.

—¿Qué tal está Colette? ¿La ha visto hoy? —pregunté.

—Está bien.

—¿Y su marido?

—Su marido está fuera. Ha ido a Nevers y no volverá hasta mañana.

Contestaba a mis preguntas, pero sus ojos no se apartaban del rostro del joven. Muy alto, muy moreno, tenía un aire ágil y de fortaleza, no propiamente bruta, sino un poco salvaje; su pelo era negro, frente estrecha, dientes blancos, apretados y un poco agudos. Trajo consigo a esta habitación lóbrega el olor de los bosques en primavera, un olor vivo y penetrante que me alegra el corazón y da agilidad a mis viejos huesos. Habría caminado toda la noche. Cuando me marché de Coudray, la idea de meterme en casa me resultó insoportable y me dirigí al Moulin-Neuf para que me invitaran a cenar. Crucé el bosque, completamente desierto esta vez, misterioso y donde silbaba el viento.

Me acerqué al río; solo había estado allí de día, cuando la muela del molino está en marcha; es un ruido fuerte y a la vez acariciador, que calma los ánimos. Ese silencio, en cambio, resultaba extraño e inspiraba cierta inquietud; sin proponérselo, uno aguza el oído, atento al menor ruido; lo único que se oía era el rugido del río. Crucé la pasarela donde el olor frío del agua, la sombra y la hierba húmeda te embargaban de repente; la noche era tan clara que iluminaba la cresta blanca de las ondulaciones producidas por la veloz corriente. Una luz brillaba en el primer piso: Colette debía de estar esperando a su marido. Las tablas crujían bajo mis pies; me oyó llegar. La puerta del molino se abrió y vi que Colette corría hacia mí, pero, cuando estaba a pocos pasos, preguntó con voz alterada:

—¿Quién anda ahí?

Dije mi nombre y añadí:

—¿Supongo que esperabas a Jean?

No contestó. Se acercó despacio y me ofreció la frente para que se la besara. Iba descubierta, con una bata fina, como si acabara de salir de la cama. Su frente ardía; todo su aspecto parecía tan inusual que me asaltó una sombra de sospecha.

—¿Te molesto? Pensaba pedirte que me invitaras a cenar.

—Esto… Me encantaría —murmuró—; pero es que no le esperaba y… no me encuentro bien… Jean no está… He despedido a la criada y he cenado una taza de leche en la cama.

A medida que hablaba recobraba el aplomo, y acabó contándome una mentirijilla muy plausible: estaba un poco griposa... De hecho, podía tocarle las manos y la cara y vería cómo tenía fiebre; la criada estaba en el pueblo, en casa de su hija, y no volvería hasta el día siguiente. Lo sentía, no podía invitarme a una buena cena, aunque si quería conformarme con un par de huevos fritos y fruta... Pero mientras hablaba tampoco hacía ademán de invitarme a entrar. Al contrario. Me cerraba el paso resueltamente y, cuando me acerqué un poco más, noté que todo su cuerpo temblaba; me dio pena.

—Un par de huevos fritos no me bastarán —le dije—, tengo hambre. Además, no quiero retenerte más tiempo en el puente: sopla un viento helador. Vuelve a la cama, criatura. Ya vendré otro día.

¿Qué otra cosa podía hacer? No soy su padre ni su marido. Bien mirado, en mi juventud hice tantas locuras como para no tener derecho a mostrarme estricto, y... ¡que hermosas locuras las del amor! Pero como se suelen pagar tan caras, no deberíamos reprochárnoslas demasiado ni a nosotros mismos ni a los demás. Se acaban pagando siempre, y a veces las menores al precio de las mayores. Lo mismo da que te ahorquen por un carnero que por un cordero, dice el refrán. Desde luego, recibir a un hombre bajo el techo conyugal era una locura, pero también ¡qué gozo, esta noche, en brazos del amante, mientras se oye correr el río y el miedo a ser sorprendida te atenaza el corazón! ¿Quién era el hombre al que esperaba?

Me dije: «En Coudray el viejo Declos no me negará un vaso de vino y un pedazo de queso, y, si el galán ya no está, es bastante probable que el amante sea él, aquí y allí. Es un guapo mozo. Declos es viejo, y Jean, el pobre Jean, ya llevaba cuernos la noche misma de su boda. Se nace así; qué se le va a hacer».

Colette quiso acompañarme hasta la entrada del bosque. De vez en cuando tropezaba en una piedra y se sujetaba a mi brazo. Entonces toqué su mano, que estaba helada.

—Venga —dije—, vuelve ya. Te pondrás mala.

—¿No está enfadado? —preguntó.

No esperó mi respuesta:

—Cuando vea a mamá —dijo en voz baja—, se lo ruego, no le diga nada. Creería que estoy gravemente enferma y se angustiaría.

—Ni siquiera le diré que te he visto.

Se arrojó en mis brazos:

—¡Cuánto le quiero, primo Silvio! Lo entiende todo.

Era una confesión a medias y sentí que tenía el deber de advertirle. Pero apenas había pronunciado las primeras palabras: «Tu marido, tu hijo, tu casa...», dio un brinco hacia atrás y, con un tono de sufrimiento y odio en la voz, gritó:

—¡Lo sé, lo sé, todo eso lo sé! Pero no quiero a mi marido. Amo a otro. ¡Que nos dejen en paz! Eso no le incumbe a nadie —pronunció con esfuerzo, y salió corriendo tan deprisa que no me dio tiempo a terminar la frase.

¡Curiosa locura! El amor a los veinte años es como un ataque de fiebre, un delirio repentino. Cuando termina, cuesta recordar otros... Calentura de la sangre, pronto extinguida. Ante esa deflagración de sueños y deseos me sentía tan viejo, tan frío y tan sensato...

En Coudray llamé a la ventana del comedor y dije que me había perdido. El viejo, que sabe que deambulo por el bosque desde que era niño, no osó negarme una habitación. En cuanto a la cena, no me anduve con cumplidos. Fui a la cocina y pedí a la criada un plato de sopa. Me lo dio y le añadió un trozo grande de queso con un mendrugo de pan. Volví al lado de la chimenea para comérmelos. En la sala no había más luz que la de las llamas; ahorran electricidad.

Pregunté dónde estaba Marc Ohnet.

—Se fue.

—¿Ha cenado con usted?

—Sí —gruñó el viejo.

—¿Le ve a menudo?

Hizo como que no oía; su mujer tenía una labor en las manos, pero no cosía. Él le espetó con crudeza:

—¡No te mates a trabajar!

—No puedo trabajar, no hay luz —respondió ella en voz baja y ausente. Luego, dirigiéndose a mí, dijo:

—¿No había nadie en el Moulin-Neuf?

—No lo sé. No llegué hasta allí. El bosque estaba tan oscuro que no logré salir de él. Tenía miedo de caerme en el estanque.

—¿Así que hay un estanque en el bosque? —murmuró, y, al notar que la miraba, esbozó una media sonrisa con una mueca de burla y regocijo secreto y luego, tirando su labor sobre la mesa, se quedó inmóvil, con las manos cruzadas sobre las rodillas, mirando al suelo.

Entró la criada.

—Ya he puesto las sábanas en la cama del señor —dijo, dirigiéndose a mí.

El viejo Declos parecía dormido; se quedaba así durante largos ratos sin hablar, sin moverse, con la boca abierta; sus mejillas chupadas y su tez lívida le conferían el semblante de un moribundo.

—He encendido la chimenea en su cuarto —continuó la criada—, las noches son frescas.

Se interrumpió bruscamente: Brigitte se había levantado de un salto y parecía extraordinariamente nerviosa. La miramos sin entender.

—¿No oís nada? —preguntó ella al cabo de un momento.

—Nada. ¿Qué hay?

—No lo sé... creía... seguramente me he confundido... Había oído un grito.

Escuché, pero el silencio casi agobiante de nuestras noches campestres se había impuesto; ni siquiera había ya viento.

—No oigo nada —dije.

La criada salió de la habitación; no fui a acostarme; miré a Brigitte, que temblaba y se había acercado a la lumbre. Había sorprendido mi mirada; dijo, maquinalmente:

—Sí, las noches son muy frías.

Extendió las manos hacia delante como si quisiera calentarlas al fuego; luego, seguramente, olvidó mi presencia; ocultó la cara entre los dedos juntos. En ese momento la cancela del jardín chirrió; alguien subió las escaleras y llamó a la puerta. Fui a abrir y vi en el umbral a un chiquillo de granja. Son los mensajeros de la desgracia en estas tierras, donde solo algunos ricos burgueses tienen teléfono. Si hay una enfermedad, un accidente, una muerte, los campesinos envían en plena noche a un *commis*, un pequeño sirviente de mejillas sonrosadas y voz plácida que da la noticia. Este se quitó educadamente la gorra y, dirigiéndose a Brigitte, dijo:

—Verá, señora, es el patrón del Moulin-Neuf que se ha caído al río.

A nuestras preguntas contestó que Jean Dorin había vuelto de Nevers más temprano de lo que se creía; había dejado su coche al pie de la casa, en el prado; ¿era porque no quería que el ruido del auto despertase a su mujer enferma? Al cruzar la pasarela seguramente le dio un vahído; la pasarela es ancha y sólida, pero solo tiene barandilla por un lado; se cayó al agua. Su mujer no le oyó volver; estaba dormida, pero el grito que él lanzó al caer turbó su sueño. Se levantó sobresaltada; corrió afuera; le estuvo buscando en vano, el río es profundo; él debió de irse al fondo enseguida. Su mujer reconoció el coche que estaba en el prado y así tuvo la certeza de que era su marido quien acababa de morir. Entonces, desesperada, corrió hasta la granja vecina y pidió ayuda. Los hombres, ahora, están buscando el cuerpo, «pero madre ha pensado que la pobre mujer está sola y que la señora Declos, que es su amiga, querrá quedarse con ella», terminó el muchacho.

—Iré yo —dijo Brigitte.

Parecía aturdida; su voz era fría y grave. Tocó ligeramente el hombro de su marido, porque el rumor de nuestras voces no le había despertado. Cuando él abrió los ojos, Brigitte le explicó lo ocurrido. Él escuchó en silencio. Puede que no se enterase ni de la mitad, puede que le trajera sin cuidado la muerte de un hombre joven o, en general, cualquier muerte que no fuera la suya. Puede que no quisiera decir lo que pensaba. Se levantó con un sonoro suspiro.

—Todo esto... todo esto —dijo, por fin.

No terminó la frase.

—Bueno, yo subo a acostarme.

Ya en el umbral la terminó, con un tono que me pareció significativo y hasta amenazador:

—Todo esto son vuestros líos. No me metáis en ellos, ¿entendido?

Acompañé a Brigitte al Moulin-Neuf. Había luces que iban y venían, cruzándose en la noche, sobre el agua: unos hombres buscaban inútilmente el cadáver. En la casa todas las puertas estaban abiertas; unos vecinos atendían a Colette, que se había desmayado, y al niño, que gritaba; otros hurgaban en los armarios y sacaban las sábanas que servirían para amortajar al finado; los mozos de la granja se habían juntado en la cocina y tomaban un bocado a la espera de que amaneciese para ir a explorar entre los juncos, río abajo; se creía que el ahogado había sido arrastrado hasta allí, donde las hierbas altas le habrían retenido.

A Colette solo pude verla un momento: las mujeres la rodeaban y no se apartaban de ella. Las mujeres de campo no quieren perderse nada de un espectáculo gratuito, como el de un nacimiento o una muerte súbita. Murmuraban, opinaban, daban consejos y llevaban bebida a los hombres, metidos en el agua hasta la cintura. Yo deambulé por el molino, por esas habitaciones tan cómodas y amplias, con sus grandes chimeneas, sus bonitos muebles antiguos, escogidos por Hélène con tanto cariño, sus alcobas profundas, sus flores, sus cortinas de cretona con ramilletes de flores; a la izquierda estaba el molino propiamente dicho, los dominios del pobre muchacho muerto. Imaginé su cuerpo atrapado en el agua, pero si una fracción de su alma regresara a la tierra, estaría aquí, sin duda alguna, entre estas máquinas, estos sacos de trigo, estas balanzas, todo este humilde escenario. Con qué orgullo me había enseñado esta ala del molino, reconstruida por su padre. Casi me pareció verle a mi lado. Al pasar tropecé con alguna máquina y sonó un crujido repentino, tan quejumbroso, tan inesperado, tan extraño, que no pude contenerme y murmuré:

—¿Estás ahí, amigo mío?

Se hizo el silencio. Bajé hacia la parte habitada para esperar a François y Hélène, avisados por encargo mío. Llegaron, y bastó con su presencia para que reinara la paz. El ruido y la confusión dieron paso a una suerte de murmullo lúgubre que adormecía el dolor. Se despidió a los vecinos con palabras amables. Se cerraron ventanas y postigos; se apagaron algunas luces; se adornó con flores la habitación donde reposaría el cuerpo; a eso del amanecer los hombres lo habían encontrado atrapado entre los juncos, como se suponía; la pequeña y muda comitiva entró en el molino llevando un bulto tapado con una sábana, tendido en unas parihuelas.

Anteayer enterraron a Jean Dorin. Fue un servicio muy largo en un día frío y lluvioso. Han puesto en venta el molino; Colette solo se queda con las fincas, que cuidará su padre, y volverá a vivir con sus progenitores.
Hoy hemos celebrado una misa por el descanso del alma de Jean Dorin. Estaba allí toda la familia, llenando la iglesia una multitud de negro, muda e indiferente. Colette estuvo muy enferma; hoy se levantaba por primera vez y, durante el oficio, se desmayó. Yo estaba cerca. Vi que de pronto se alzaba el velo de luto, miraba fijamente al gran Cristo extendido por encima de ella, clavado en la

cruz; dio un débil grito y cayó hacia delante, con la cabeza sobre los brazos. Después de la ceremonia he almorzado en casa de sus padres; ella no ha bajado al comedor. He querido verla; estaba en su cuarto, tumbada en la cama, con el niño acostado a su lado. Estábamos solos. En cuanto me ha visto se ha echado a llorar, pero no ha querido contestar a ninguna de mis preguntas. Sacudía la cabeza con un gesto de vergüenza y desesperación.

Acabé dejándola en paz. François y Hélène paseaban lentamente por el jardín, esperándome. Han envejecido mucho y han perdido esa expresión de serenidad que tanto me gustaba y que encontraba tan conmovedora. No sé si el ser humano construye su vida, pero lo que es seguro es que la vida que ha vivido acaba transformándolo; una existencia tranquila y hermosa confiere a un rostro un algo de suavidad, de gravedad, un tono cálido y dulce que es casi una pátina, como la de un retrato. Pero ahora la suavidad y la seriedad de esos rasgos se desvanecían y lo que afloraba debajo era el alma triste y angustiada. ¡Pobres! Hay un momento de perfección, cuando maduran todas las promesas, que por fin dan los buenos frutos, un momento que la naturaleza alcanza hacia el final del verano, para superarlo enseguida, y entonces empiezan las lluvias del otoño. Lo mismo sucede con las personas.

Mis primos estaban muy preocupados por Colette. Naturalmente, comprendían que la muerte del pobre Jean le hubiera afectado mucho, pero esperaban que se repusiera más rápidamente.

Pero no, cada día parecía más débil.

—Creo —dijo François con ademán pensativo— que no debería quedarse aquí. No solo por los recuerdos que, como es natural, la asaltan a cada paso, en esta casa donde conoció a Jean, donde se casó, etc. Es sobre todo por nosotros.

—No entiendo lo que quieres decir, querido —dijo Hélène, con cierta agitación.

Él posó la mano en su brazo; un gesto de autoridad acariciadora a la que ella nunca se resiste.

—Creo —dijo— que nosotros, que el espectáculo de nuestra vida, que todo lo bueno que hay en nosotros, que todo eso aviva su pena. Comprende mejor lo que ha perdido; lo siente, por así decirlo, más, cuando nos ve. Pobre criatura. A veces sus ojos tienen una expresión tan triste que apenas puedo soportarlo. Siempre ha sido mi preferida, lo confieso. Quería obligarla a partir, a viajar. ¡Pero no! Se niega a dejarnos. No quiere ver a nadie.

—Pues yo creo –intervino Hélène— que no son distracciones lo que necesita ahora (además, no las aceptaría), sino una ocupación seria. Lamento su decisión de vender el molino. Es la fortuna de su hijo, y no solo debería conservarla, sino aumentarla.

—Pero ¿qué dices? No habría podido salir adelante sola.

—¿Por qué sola? Nosotros la ayudaríamos y, dentro de unos años, uno de sus hermanos podría dirigir el molino hasta que el pequeño tuviera edad para hacerlo. Solo un trabajo absorbente puede curarla.

—U otro amor —dije.

—Otro amor, desde luego. Pero la mejor manera para propiciarlo (me refiero a un amor verdadero, honesto y sano) es no pensar demasiado en él, no llamarlo. Si no, uno se engaña. Pone la máscara del amor a la primera cara que aparece, a la más vulgar. Espero, de todo corazón, que más adelante vuelva a casarse, pero ahora lo que hace falta es que encuentre la paz. Después, de la forma más natural, puesto que es joven, amará de nuevo a algún buen hombre, como el pobre Jean.

Siguieron hablando entre ellos de Colette. Lo hacían con un tono de certeza confiada y tranquila. Era su hija. La habían educado ellos. Creían conocer hasta sus sueños. Al final decidieron hacer lo posible para que Colette se interesara por las posesiones que quedaban, por el trabajo, por las cosechas, por esos bienes que tenía el deber de conservar para su hijo. Cuando les dejé estaban sentados en el banco, delante de la casa, bajo las ventanas de su dormitorio, el mismo banco donde antaño yo permanecía mucho tiempo acechando en la noche.

El viejo Declos ha empeorado. Su mujer llamó al médico de Creusot, quien propuso una operación. El anciano quiso saber lo que le costaría. El médico dijo una cantidad. Él, entonces, permaneció un rato en silencio, como el día en que, estando en mi casa, regateaba por la pequeña finca de Roches tras la muerte de mi madre. Recuerdo que me preguntó cuál era mi precio y después calló un momento, con los ojos cerrados, y después dijo: «Vale. De acuerdo»; por entonces él era pobre; teníamos casi la misma edad. La compra de esas veinticuatro hectáreas era un buen negocio para él. Del mismo modo, cuando el médico le dijo que la operación le costaría diez mil francos y que, de salir bien, sobreviviría tres, cuatro o quizá cinco años, sin duda calculó el valor de cada uno de esos años y llegó a la conclusión de que, a fin de cuentas, no serían tan buenos y felices como para pagarlos tan caros. Rechazó la operación; cuando se marchó el médico le dijo a su mujer que su padre había muerto de una enfermedad muy parecida, que no había durado demasiado, unos meses a lo sumo, pero que había sufrido mucho. Concluyó:

—Qué más da. Estamos acostumbrados a sufrir.

Así es, nuestros campesinos están hechos de una madera especial que les permite llevar la vida más dura posible. Por muy ricos que sean, rechazan el placer, hasta la felicidad, con implacable determinación, quizá desconfiando de sus engañosas promesas. La única vez, que yo sepa, que el viejo Declos se apartó de esta regla, fue el día que se casó con Brigitte, y ha tenido que lamentarlo. De modo que se prepara para morir hacia Navidad; está poniendo en orden sus asuntos. Su mujer heredará una fortuna, sin duda alguna: aunque sabe que le engaña, se cuidará mucho de actuar de manera que pueda despertar sospechas sobre su adulterio. Es una cuestión de orgullo, pero también de lealtad a la propia familia; una especie de solidaridad que une el marido a la mujer, los hijos al padre, y encubre todos los odios para que no haya escándalo, para que nadie sepa nada. No es la aprobación de la gente lo que desean: son demasiado intratables para eso y demasiado orgullosos; lo que temen es que se fijen en ellos; sentir encima la mirada ajena es para ellos un sufrimiento moral insoportable; esto les hace inmunes a la vanidad; no quieren que les envidien ni les compadezcan, sino que les dejen tranquilos. Tranquilidad es su palabra; para ellos es sinónimo de felicidad o, más bien, sustituye a la felicidad ausente. Oí a una vieja decirle a Hélène, hablando de Colette y del accidente que la ha dejado viuda:

—Qué pena, qué pena... Su hija, en el molino, con lo tranquila que estaba.

Y para ella esta palabra representaba toda la felicidad humana que podía imaginar.

El viejo Declos también quiere que todo esté tranquilo durante sus últimos días en la tierra, y después de su muerte.

Tenemos un otoño precoz. Me he levantado antes del amanecer y paseo por el campo, entre los sembrados que pertenecieron a mi familia durante generaciones y hoy poseen y cultivan otros. No puedo decir que me duela: a veces una leve punzada de pesar... No lamento el tiempo que perdí persiguiendo la fortuna, el tiempo en que compraba caballos en Canadá, en que traficaba con copra en el Pacífico. Esa necesidad de partir, ese hastío asfixiante que me producía esta tierra, los sentí a los veinte años con tanta fuerza que, de haberme visto obligado a quedarme, creo que me habría muerto. Ya no tenía padre, y mi madre no pudo retenerme. «Es como una enfermedad» decía, asustada, cuando le suplicaba que me diera dinero y me dejara partir, «espera un poco, se te pasará».

Y luego decía:

—Vamos, que eres igualito que el muchacho de los Gonin y el de los Charles, que quieren ser obreros en la ciudad, que saben que serán menos felices que aquí, y que cuando se lo hago ver, me contestan: «Será un cambio».

Y, en efecto, era justamente lo que yo quería: ¡un cambio! Me hervía la sangre al pensar en que todo el mundo vivía, mientras yo me quedaba aquí. Me fui, y ahora no acabo de entender qué demonio me alejaba de mi hogar, siendo como era montaraz y sedentario. Recuerdo que una vez Colette Dorin me dijo que yo parecía un fauno: un fauno viejo, es verdad, que ya no corre detrás de las ninfas, que se esconde junto a la chimenea. Y ¿cómo describir los placeres que encuentro aquí? Disfruto de las cosas sencillas y que están a mi alcance: una buena comida, un buen vino, este cuaderno donde garabateo con un regocijo sarcástico y secreto; y por encima de todo, la divina soledad. ¿Qué más puedo pedir? Pero a los veinte años, ¡cómo ardía!... ¿Cómo se enciende en nosotros ese fuego? Lo devora todo, en unos meses, en unos años, en unas horas, a veces, luego se apaga. Y entonces puedes hacer un repaso de sus estragos. Te encuentras atado a una mujer a la que ya no quieres, o, como yo, estás arruinado, o, nacido para ser tendero, has querido ser pintor en París y acabas tus días en un hospital. ¿Quién no ha visto cómo ese fuego deformaba o torcía su vida en un sentido contrario a su naturaleza profunda? Porque todos nos parecemos más o menos a esas ramas que arden en mi chimenea, a merced de las llamas que las retuercen; ya sé, no debería generalizar; hay personas que a los veinte años son de lo más sensato, pero yo prefiero mi locura pasada a su sensatez.

He sabido que Colette, obedeciendo al deseo de su padre, va a ocuparse en persona de sus propiedades. Como dice François Érard, será su propio administrador. Eso la obligará a tratar con gente, a salir de casa y, a veces, a batallar para defender los intereses de su hijo. Hélène, para presionarla, aplica la misma persuasión hábil y tierna que cuando separa de sus juegos al pequeño Loulou para enseñarle las lecciones. Lo mismo con Colette... se acabaron los juegos.

El viejo Declos acaba de morir. No ha llegado a Navidad. Aún faltaban varias semanas. Su corazón se rindió.

Ahora su mujer es rica. Cuando la buena de Cécile que la adoptó murió, su único patrimonio era Coudray: nada, como quien dice. La casa se caía de vieja; las tierras se habían vendido; el viejo Declos compró Coudray; fue entonces cuando se enamoró de Brigitte. Poco a poco fue recuperando la finca; derribó el viejo edificio y construyó la casa más hermosa de estos parajes; y se llevó a la chica, por añadidura. Todos pensamos que era afortunada, pero ella seguramente habría dicho que Colette había tenido más suerte: Colette no necesitó casarse con un vejestorio para vivir contenta y consentida. Luego la muerte ha igualado las suertes. Me pregunto si esas dos criaturas sabrán... o sospecharán... Qué va, la juventud solo se ve a sí misma. ¿Qué somos nosotros para ellas? Pálidas sombras. ¿Y ellas para nosotros?

El domingo, en esta estación de lluvia diaria, bajo al pueblo. Paso cerca de la casa de los Érard sin entrar. A veces, bajo la ventana del cuarto de estar, se oyen las notas del piano de Hélène. Otras veces la veo en el jardín, con zuecos, recogiendo las últimas rosas, esas que se guardan para adornar las tumbas el día de Todos los Santos, y las dalias del color del fuego. Me ve; me hace una seña; se acerca a la cancela y me invita a entrar. Pero yo rehúso;

últimamente no estoy de humor sociable. Hélène y su familia me producen el mismo efecto que el vino de postre, moscatel o frontiñán dorado, que mi paladar, acostumbrado al viejo borgoña, ya no sabe apreciar. De modo que dejo a Hélène y, bajo las gotas de una lluvia ligera y rala que se escurren de los árboles desnudos, camino hasta el pueblo. Está mudo, desierto y melancólico; anochece pronto. Cruzo la plaza del monumento a los caídos donde monta guardia un soldado pintado con vivos colores, rosa y celeste; más arriba hay un paseo de tilos, viejas murallas negruzcas, una puerta en forma de arco que se abre al vacío donde silba el cierzo, y por último la plazuela redonda frente a la iglesia. En el crepúsculo relucen tenuemente, tras las ventanas de la panadería, las grandes hogazas rubias en forma de corona bajo una bombilla con pantalla de papel blanco. En esta llovizna gris, en este aire brumoso, parecen flotar el rótulo del notario y la enseña del almadreñero: un gran zueco tallado en madera clara que tiene el tamaño y la forma de una cuna. Enfrente está el Hôtel des Voyageurs. Empujo la puerta que hace sonar una campanilla y entro en la sala del café, donde arde una gran estufa, oscura y humeante; sus ventanas reflejan las mesas de mármol, el billar, el sofá de cuero con rotos, el calendario que data de 1919, con la estampa de una alsaciana con medias blancas flanqueada por dos soldados. En este café, todos los domingos, ocho campesinos (siempre los mismos) juegan a cartas. Se intercambian las frases rituales. Se oye el descorchar de las botellas de vino tinto y el choque de los vasos en las mesas. Cuando llego, unas voces lentas con el acento áspero que estas tierras han tomado prestado de la vecina Borgoña, pronuncian una tras otra:

—Hola, señor Silvestre.

Me quito los zuecos; pido vino y tomo asiento siempre en el mismo sitio, a la izquierda, junto a la ventana desde donde puedo ver el gallinero, el lavadero y un jardincillo bajo la lluvia.

Alrededor reina el silencio de un anochecer de otoño en un pueblecito soñoliento. Frente a mí un espejo enmarca mi cara arrugada, una cara que ha cambiado tan misteriosamente en estos últimos años que apenas puedo reconocerla. ¡Bah! Un calor animal y dulce penetra en mis huesos; me caliento las manos en la pequeña estufa que zumba, cuyo olor me adormece y me repugna ligeramente. Se abre la puerta y aparece en el umbral un tipo con gorra, o un hombre trajeado en honor al domingo, o una niña que viene en busca de su padre y llama con voz aguda:

—¿Estás ahí? Dice mamá que vayas.

Luego desaparece en medio de una carcajada.

Hace unos años el viejo Declos venía aquí sin falta todos los domingos; no jugaba a las cartas, era demasiado tacaño para arriesgar sus cuartos, pero se sentaba junto a los jugadores y, en silencio, con la pipa en la comisura de su boca cerrada, les observaba; cuando alguien le pedía consejo, lo soslayaba con un pequeño movimiento de la mano, como quien rechaza una limosna. Ahora está muerto y enterrado y, en su lugar, veo a Marc Ohnet, descubierto, con chaqueta de cuero, sentado a una mesa ante una botella de Beaujolais.

El modo en que un hombre bebe en compañía no tiene ningún significado, pero cuando está solo, revela, sin saberlo, el fondo mismo de su alma. Hay una manera de girar el vaso entre los dedos, una forma de inclinar la botella y ver fluir el vino, de levantar el vaso hasta los labios, de sobresaltarse y posarlo bruscamente cuando alguien le habla, de volver a cogerlo con una tosecita afectada, de apurarlo cerrando los ojos, como si se bebiera el olvido de un trago, que es la de un hombre preocupado, atribulado, sumido en pensamientos sombríos. Le han visto; mis ocho campesinos siguen jugando, pero de vez en cuando le lanzan rápidas miradas de reojo. Él finge indiferencia. Cae la noche. Encienden una gran lámpara colgante de cobre; los hombres dejan los naipes y se disponen a volver a casa. Es el momento en que se entabla conversación. Primero hablan del tiempo, del coste de la vida y de las cosechas; luego, dirigiéndose a Ohnet:

—Hace mucho que no se le ve por aquí, señor Marc.

—Desde el entierro del viejo Declos —dice otro.

El joven hace un gesto vago con la mano y murmura que ha estado ocupado.

Hablan de Declos y de la riqueza que ha dejado, «las mejores tierras de la región».

—Ese hombre conocía la tierra... Tacaño hasta el último céntimo. Por aquí no se le quería, pero conocía su oficio.

Un silencio. Han dedicado al difunto el mejor elogio y, de alguna manera, le han hecho saber al muchacho que tomaban partido por el muerto contra el vivo, por el viejo contra el joven, por el marido contra el amante. Porque, desde luego, algo se sabe... En lo concerniente a Brigitte, al menos. Las miradas, con un brillo curioso, se fijan en Marc.

—Su mujer —dice uno, por fin.

Marc levanta la cabeza y frunce el entrecejo.

—Su mujer, ¿qué?

Unas frases cortas y prudentes escapan de los labios de los campesinos junto con el humo de las pipas:

—Su mujer... Era muy joven para él, desde luego, pero cuando se prometió con ella ya era rico, y ella...

—Estaba Coudray, que se caía de viejo.

—Ella habría tenido que marcharse de aquí, eso seguro, pero fue gracias a Declos que conservó su patrimonio.

—Nadie supo nunca de dónde había salido.

—Era una bastarda de la señorita Cécile —dijo uno con una risotada.

—Yo también creería eso si no hubiera conocido a la señorita Cécile. Pobre muchacha, no tenía esa inclinación, te lo aseguro. Solo salía de casa para ir a la iglesia.

—A veces basta con eso.

—No digo que no, pero la señorita Cécile... no tenía malicia. No, se hizo cargo de una niña de la Beneficencia, una especie de criadita. Luego le cogió cariño y la adoptó. La señora Declos no tiene un pelo de tonta.

—No. Ni un pelo de tonta. Vaya si sabía sacarle los cuartos al viejo... Vestidos, perfumes de París, viajes. Todo lo que quería. Está claro que sabe manejarse. Y no solo para eso. Hay que ser justos. Conoce bien la tierra. Sus aparceros dicen que no se la puede engañar. Y bien amable que es con todo el mundo.

—Sí, es muy presumida en el vestir pero campechana en el hablar.

—De todos modos, por ahí la critican. Será mejor que tenga cuidado.

Bruscamente, Ohnet levanta la mirada y pregunta:

—¿Cuidado con qué?

Se hace otro silencio. Los hombres acercan sus sillas entre sí y, con el mismo movimiento, se alejan de Marc, marcando así su reprobación por todo lo que adivinan o creen saber.

—Cuidado con su conducta.

—Yo creo —dice Marc, dando rápidas vueltas a su vaso entre los dedos—, yo creo que la opinión de la gente le tiene sin cuidado.

—Sensatez, señor Marc, sensatez… Sus tierras están aquí, tiene que vivir aquí. No le conviene que la señalen con el dedo.

—Puede vender sus fincas y marcharse —salta uno de los granjeros.

Es el viejo Gonin, cuyas tierras lindan con las del difunto Declos. En su cara paciente aparece esa expresión obstinada y dura que delata a un hombre de estos parajes cuando codicia el bien ajeno. Los demás callan. Conozco la jugada, la han practicado conmigo. La ejercen contra todos los que no son lugareños o han dejado de serlo, o que por una u otra razón se consideran indeseables. A mí tampoco me querían. Había abandonado mi herencia. Había preferido otros horizontes al mío. Todo lo que quería comprar duplicaba automáticamente su precio;

todo lo que quería vender se depreciaba. En cualquier menudencia reconocía una malevolencia maravillosamente activa, constantemente alerta, calculada para hacerme la vida insufrible de modo que huyera de aquí. Me mantuve firme. No me marché. Pero ellos se quedaron con mi patrimonio. Cerca de mí veo a Simon de Saint-Arraud, con sus manazas negras sobre las rodillas; él tiene mis prados, y Charles des Roches tiene mis fincas, mientras que la casa donde nací ahora pertenece a ese granjero gordo de mejillas sonrosadas y expresión plácida y adormilada que dice con una amable sonrisa:

—Está claro que lo mejor que puede hacer la señora Declos es vender. Por mucho que entienda de cultivos, hay cosas que una mujer no sabe hacer.

—Es joven; se casará otra vez —contesta Marc en tono desafiante.

Ahora se han levantado. Uno abre su gran paraguas. El otro se calza los zuecos y se anuda la bufanda bajo la barbilla. Casi en el umbral, una voz, como quien no quiere la cosa, deja caer:

—¿Cree usted que volverá a casarse, señor Marc?

Se miran unos a otros, entrecerrando los ojos por la risa burlona que reprimen. Él mira a uno, luego a otro, como si tratara de adivinar lo que piensan y callan, y como si se dispusiera a parar un golpe. Al final responde encogiéndose de hombros y entornando los ojos, con expresión de fastidio:

—¿Cómo quieren que lo sepa?

—Sí, por supuesto, señor Marc. Pero es sabido que usted conocía bien al viejo, ¿no? A pesar de lo roñoso y desconfiado que era, parece que le dejaba entrar a cualquier hora del día y que incluso se le vio salir a medianoche algunas veces. De modo que también habrá vuelto a ver a la viuda, ¿no es así?

—A veces. No muchas.

—Estará usted muy apenado, señor Marc. Había dos casas donde era muy querido y bien recibido, y ahora, en las dos, los dueños están muertos.

—¿Dos casas?

—Coudray y el Moulin-Neuf.

Y, al parecer satisfechos por el estremecimiento que Marc no pudo evitar (tan fuerte fue el temblor que el vaso se le escurrió de los dedos y cayó al suelo, donde se hizo añicos), los granjeros, por fin, se van. Nos saludan ceremoniosamente:

—Buenas noches, señor Silvestre. ¿Le va todo a pedir de boca? Me alegro. Muy buenas noches, señor Marc. Salude a la señora Declos de mi parte cuando la vea.

La puerta se abre a la noche otoñal; se oye caer la lluvia, los zuecos chapotean en el barro; más lejos, un manantial: en el parque del cercano palacio el agua se escurre de los enormes árboles; los pinos lloran.

Yo fumo mi pipa y Marc Ohnet mira al frente. Luego, por fin, con un suspiro, ordena:

—Jefe, otra botella.

Aquella noche, cuando Marc Ohnet se marchó, llegó un auto lleno de parisinos y se detuvo delante del Hôtel des Voyageurs, el tiempo de echar un trago y hacer una pequeña reparación al vehículo. Riendo y hablando en voz alta, entraron en la sala. Unas mujeres me fulminaron con la mirada; otras trataron inútilmente de maquillarse ante los pálidos espejos que deforman los rasgos; otras se acercaron a las ventanas y contemplaron la callejuela pedregosa donde caía el aguacero y aquellas casas adormiladas.

—Qué calma —dijo una joven riendo, y se apartó de la ventana.

Se cruzaron conmigo después, en la carretera. Iban a Moulins. Esta noche cruzarán muchos parajes tranquilos, muchos pueblos soñolientos; pasarán cerca de casonas mudas y lóbregas en medio del campo; ni siquiera imaginarán que todo eso esconde una vida profunda y secreta, una vida que siempre desconocerán. Me pregunto cómo dormirá Marc Ohnet esta noche, si soñará con el Moulin-Neuf y con ese río verde y espumoso.

En el campo se está segando el trigo. Estamos a finales del verano, la última gran labor agrícola de la estación. Un día de trabajo y un día de fiesta. En el horno se cuecen enormes tartas doradas y, para decorarlas con fruta, los niños llevan toda la semana sacudiendo los ciruelos. Este año hay una gran abundancia de ciruelas; en el pequeño vergel detrás de mi casa zumban las abejas; el césped está lleno de frutos maduros y su piel de oro agrietada deja escapar perlas de azúcar. Para la siega, cada granja se honra de ofrecer a los jornaleros y a los vecinos, el mejor vino y la nata más cremosa de la comarca. A lo que hay que añadir las tartas rebosantes de cerezas y relucientes de mantequilla, los quesitos secos de cabra que tanto gustan a nuestros campesinos, los platos de lentejas y las patatas, el café y, por supuesto, el aguardiente.

Como mi criada había ido a pasar el día con su familia para ayudarles con la comida, me refugié en casa de los Érard. François y Colette tenían que visitar una de sus fincas, en un lugar llamado Maluret, no lejos del Moulin-Neuf. Me invitaron a ir con ellos. El hijo de Colette, que ahora tiene dos años, se quedaría en casa con su abuela. A Colette le cuesta separarse de él. Siente por este niño un apego ansioso que para ella es más una tortura que una alegría. Le hizo miles de recomendaciones a Hélène y a la criada antes de partir, insistiendo sobre todo en que no dejasen que el niño corriese por la orilla del agua. Hélène movió suavemente la cabeza, con su expresión tierna y razonable.

—Colette, te lo suplico, no te lo tomes así. No te pido que olvides el accidente que le ocurrió al pobre Jean, cariño, sé que es imposible, pero no dejes que el recuerdo envenene tu vida y la de tu hijo. Piensa un poco. ¿Qué clase de hombre harás de él si lo educas en el miedo? Mi pobre niña, nosotros no podemos vivir la vida de nuestros hijos (aunque a veces nos gustaría). Cada cual tiene que vivir y sufrir por sí mismo. El mejor favor que podemos hacerles a nuestros hijos es dejar que ignoren nuestra propia experiencia. Créeme, cree a tu vieja madre, cariño.

Trató de atenuar la gravedad de sus palabras con una sonrisa. Pero Colette, con lágrimas en los ojos, murmuró:

—Me habría gustado vivir como tú, mamá.

Su madre lo entendió así: «Me habría gustado ser feliz como tú».

Suspiró:

—Era la voluntad de Dios, Colette.

Besó a su hija, cogió al crío en brazos y entró en la casa. Vi cómo se alejaba por el jardín, todavía hermosa y altiva pese a su pelo gris. Es asombroso que haya conservado hasta la edad madura esos andares ligeros y llenos de aplomo. Sí, llenos de aplomo; el de una mujer que nunca ha tomado caminos equivocados, que nunca ha corrido, jadeante, a una cita, que nunca se ha detenido, abrumada por el peso de un secreto culpable...

Colette también tenía esta sensación, seguramente, pues cogió a su padre del brazo y le dijo:

—Mamá... es la tarde de un día bonito...

Él le sonrió:

—Vamos, pequeña... El tuyo tendrá la misma gracia y la misma serenidad. Vamos, ven, date prisa —repitió—. Nos espera un largo camino.

Durante todo el viaje Colette se mostró contenta, como no lo había estado desde la muerte de Jean. François conducía. Ella se había sentado a mi lado, en la parte trasera del coche. Era un día espléndido y cálido, apenas rozado por el otoño. Bajo el azul del cielo, más frío, más cristalino que en agosto, el soplo ocasional del viento y algunas hojas carmesíes en los setos anunciaban el final del buen tiempo. Al cabo de un momento, Colette se puso a reír y a hablar animadamente, algo que no ocurría desde hacía mucho tiempo. Recordaba los largos paseos que había dado con sus padres por esta misma carretera durante su infancia:

—¿Te acuerdas, papá? Henri y Loulou aún no habían nacido. Georges era el más pequeño y lo dejábamos con la criada, todo un regalo para mi vanidad satisfecha. ¡Y qué regalo! Se hacía esperar. A veces más de un mes. Luego se preparaban las cestas de la merienda. Ah, esos pasteles tan ricos... Ahora ya no me saben igual. Mamá amasaba, con sus hermosos brazos llenos de harina hasta el codo, ¿os acordáis? A veces unos amigos venían con nosotros, pero por lo general estábamos solos. Después de comer mamá me obligaba a acostarme en la hierba; tú le leías. ¿A que sí? Le leías a Rimbaud y a Verlaine, y yo me moría de ganas de correr... Me quedaba ahí, escuchaba a medias y pensaba en mis juegos, en la larga tarde que nos esperaba, y disfrutaba de ese... esa perfección que había entonces en mis placeres.

Su voz se hizo más grave y más profunda a medida que hablaba y se notaba que se había olvidado de su padre, que se dirigía a sí misma; calló un momento y luego continuó:

—Papá, ¿te acuerdas de que una vez se nos averió el coche? Tuvimos que bajar e ir andando, y como yo estaba cansada, mamá y tú le pedisteis a un campesino que pasaba con un carro lleno de hierba que me dejara montar. Recuerdo que el campesino hizo un tejadillo con ramas y hojas para protegerme del sol. Vosotros caminabais detrás del carro y el campesino conducía su caballo. Entonces, como creíais que no os veía nadie, parasteis y os besasteis... ¿Te acuerdas? Y yo saqué bruscamente la cabeza de debajo de las ramas que me hacían de casita y grité: «¡Os veo!», y os echasteis a reír. ¿Te acuerdas? Y fue esa noche cuando nos quedamos en una casa grande donde había muy pocos muebles, sin electricidad, y un gran candelabro de latón amarillo en medio de la mesa... Oh, qué curioso, todo eso lo había olvidado y ahora lo recuerdo. Pero a lo mejor fue un sueño.

—No —dijo François—, fue en Coudray, en casa de la vieja tía Cécile. Tú tenías sed, llorabas, de modo que entramos a pedir un vaso de leche para ti; tu madre no quería, no recuerdo por qué, pero tú chillabas y tuvimos que ceder para que te callaras, entonces tenías seis años.

—Fíjate... Ahora recuerdo muy bien a una señora mayor con una pañoleta amarilla sobre los hombros y a una muchacha de unos quince años. ¿De modo que esa chica era su pupila?

—Pues claro, tu amiga, Brigitte Declos, o debería decir Brigitte Ohnet, porque pronto se casará con ese mozo.

Colette calló, miró pensativamente por la ventanilla y preguntó:

—Entonces ¿está decidido?

—Sí, dicen que el domingo se publican las amonestaciones.

—¡Ah!

Le temblaron los labios, pero dijo con voz tranquila:

—Espero que sean felices.

No volvió a pronunciar palabra hasta que François tomó el camino más largo para ir a Maluret, evitando pasar por el Moulin-Neuf. Ella vaciló un instante y luego le tocó el hombro:

—Papá, por favor, no vayas a creer que me entristece volver a ver el molino. Al contrario. Compréndelo, salí de allí el mismo día que enterraron al pobre Jean, y todo era tan funesto y tan triste que aún tengo una imagen desoladora de él y... no es justo, en cierto modo... Sí, no es justo con Jean. No puedo explicártelo, pero... Hizo lo imposible para hacerme feliz y para que amara esa casa. Me gustaría exorcizar el recuerdo —añadió con voz baja y compungida—. En realidad, me gustaría volver a ver el río, eso quizá me cure el miedo que le tengo al agua.

—Ese miedo se te pasará solo, Colette. ¿Qué sentido tiene ir allí?...

—¿Tú crees? Es que sueño a menudo con él, me parece siniestro. Volver a verlo así, bajo el sol, creo que me hará bien. Por favor, papá.

—Como quieras —acabó diciendo François, y el coche desanduvo el camino.

Pasó por delante de Coudray (Colette dirigió una mirada triste y celosa a las ventanas abiertas), costeó el camino del bosque, cruzó el puente y vi el molino. Unas personas de la granja nos vieron pasar, pero al ver que no nos saludaban le pregunté a Colette si eran los aparceros que yo había conocido, los que habían enviado al chiquillo a Coudray la noche del incidente.

—No —dijo—. La madre era la nodriza de Jean y después de la muerte de mi marido no se sentía a gusto aquí. Su arriendo expiraba en octubre; no quisieron renovarlo. Se mudaron a Saint-Arnould.

Mientras hablaba tocó el hombro de su padre para que parase el coche. Como he dicho, era un día espléndido, pero tan cercano al otoño que en cuanto el sol se ocultaba hacía frío y todo se volvía oscuro de repente; eso no sucede nunca en pleno verano, porque entonces la misma sombra propaga una suerte de calor secreto. Mientras contemplábamos el Moulin-Neuf una nube pasó delante del sol, y el río, hasta entonces alegre y brillante, pareció apagarse. Colette se echó hacia atrás y cerró los ojos. François arrancó el coche y al cabo de un rato murmuró:

—No tenía que haberte hecho caso.

—No —contestó débilmente Colette—, creo que es imposible de olvidar...

En Maluret la gente estaba terminando de comer, su «cuatro horas», como lo llaman aquí. Iban a reanudar el trabajo; estaban todos reunidos en el comedor. Maluret es un palacio que antiguamente perteneció a los barones de Coudray. El Coudray de la tía Cécile también formaba parte de la propiedad hace ciento cincuenta años. Por entonces, la familia noble arruinada se marchó de la comarca y las tierras se dividieron. El abuelo de Jean Dorin construyó el Moulin-Neuf y compró la casa, pero no había calculado sus recursos y, quizá cegado por su afán, no había visto en qué estado lamentable se encontraba. Pronto se dio cuenta de que no era lo suficientemente rico como para restaurarla y la convirtió en una alquería, lo que sigue siendo hoy en día. Tiene un aspecto altivo y lamentable al mismo tiempo, con su gran patio de honor, donde ahora están los gallineros y las conejeras, su explanada, donde han talado los castaños que había y se seca la colada, y su pórtico coronado por un escudo roto durante la revolución. Los que viven allí (se apellidan Dupont, pero les llaman «Los Maluret», según la costumbre local que confunde al hombre con su tierra hasta hacerlos inseparables), son huraños, desconfiados, casi salvajes. Maluret está lejos del pueblo, defendido por un cinturón de grandes bosques (el antiguo parque señorial que se ha asilvestrado). En invierno los granjeros pasan seis u ocho meses sin ver a nadie. Así que no tienen nada en común con nuestros granjeros ricos y facundos cuyas hijas se maquillan y calzan medias de seda los domingos. Los de Maluret son pobres, y aún más tacaños que pobres. De un humor sombrío, se avienen a la perfección con su mansión destartalada de estancias vacías. El entarimado se hunde bajo los pies; los muros dejan caer sus piedras y los tejados sus pizarras azuladas. En la antigua biblioteca se guardan los cerdos; dentro de la casa hay vellones colgados y unas chimeneas tan amplias que nunca se enciende fuego en ellas: devorarían medio bosque. Hay una salita elegante con una alcoba pintada y una ventana profunda; la alcoba contiene la provisión de patatas para el invierno y alrededor de la ventana cuelgan ristras doradas de cebollas como si fueran guirnaldas.

Dice François que el trato con los de Maluret es especialmente difícil. Ya no me acuerdo de lo que debía resolver ese día con el cabeza de familia; los dos salieron para inspeccionar el techo de un granero que había ardido. El resto de la familia, los criados, los amigos y los vecinos que habían acudido para ayudar en la siega comían pausadamente. Los hombres llevaban el sombrero puesto, como es costumbre. Colette se sentó en el manto de la gran chimenea esculpida y yo tomé asiento en la mesa grande. Había algunas caras conocidas, pero también muchos desconocidos, o tal vez me lo parecieron a mí y solo habían envejecido como yo, al extremo de parecerme extraños. Entre ellos estaban los antiguos aparceros del Moulin-Neuf, los que se habían marchado de allí a la muerte de Jean. Pregunté por la vieja madre, la que fuera nodriza de Jean: había muerto. En esa familia había diez o doce niños, ya no me acuerdo; entre ellos vi al chico que había venido a avisar a Brigitte del accidente. Ahora tenía dieciséis o diecisiete años y, seguramente por primera vez, bebía como un hombre. Parecía un poco achispado; tenía los ojos enrojecidos e inflamados, y las mejillas como ascuas. Miraba a Colette con una insistencia extraña y, de repente, se dirigió a ella por encima de la mesa:

—¿Así que ya no vive usted allí?

—No —dijo Colette—, he vuelto con mis padres.

Abrió la boca para decir algo pero en ese momento entraba François, y guardó silencio. Volvió a servirse un vaso grande de vino.

—¿Echará un trago con nosotros? —dijo el amo de Maluret, haciendo una seña a su mujer para que sacara unas botellas.

François aceptó.

—¿Y usted, señora? —le preguntaron a Colette.

Ella se levantó y se unió a nosotros, porque rechazar un vino sería una afrenta, sobre todo en estas grandes fiestas rústicas. Los hombres, levantados al alba, que llevaban diez horas de trabajo en los músculos, que acababan de comer como descosidos, estaban todos medio beodos, con esa pesada y taciturna curda campesina. Las mujeres se afanaban alrededor de la estufa. Empezaron a tomar el pelo al mozo, que estaba sentado a mi lado. Él respondía en un tono de osadía feroz que arrancaba risas. A todas luces le había sentado mal el vino peleón y se encontraba en ese estado de borrachera en que la lengua te arrastra, como se dice por aquí. El calor de la sala, el humo de las pipas, el olor de las tartas en la mesa, el zumbido de las avispas alrededor de los fruteros rebosantes, las carcajadas sonoras de los campesinos debían de acentuar en él esa sensación de irrealidad, de sueño, en la que se flota cuando se ha bebido sin saber soportar el vino. Y no dejaba de mirar a Colette fijamente.

—¿No añoras el Moulin-Neuf? —le preguntó distraídamente François.

—Pues la verdad es que no, se está mejor aquí arriba.

—Qué ingratitud —dijo Colette, sonriendo con cierto disgusto—. ¿No te acuerdas de las ricas rebanadas que te preparaba?

— Sí, me acuerdo.

—Vaya, menos mal.

—Oh, sí, me acuerdo —repitió el muchacho.

Atormentaba el tenedor en su mano grande y contemplaba a Colette con extraordinaria atención.

—Me acuerdo de todo —espetó—. Mucha gente se ha olvidado, pero yo lo recuerdo.

Quiso el azar que pronunciase estas palabras en un silencio súbito, por lo que resonaron con tanta fuerza que todos prestaron atención. Colette, muy pálida de repente, callaba. Pero su padre preguntó, sorprendido:

—¿Qué quieres decir, chico?

—Quiero decir, quiero decir que si alguien ha olvidado aquí cómo murió el señor Jean, yo sí que me acuerdo perfectamente.

—Nadie lo ha olvidado —dije, y le hice un gesto a Colette para que se levantara y abandonara la mesa, pero ella no se movió.

François sospechó algo, pero, como estaba a mil leguas de suponer la verdad, en vez de mandar callar al mozo, se inclinó sobre él y le interrogó ansiosamente:

—¿Quieres decir que aquella noche viste algo? Habla, por favor. Es muy grave.

—No le haga caso. Ya ve que está borracho —dijo el amo de Maluret.

Pues qué bien, pensé, lo saben, todos lo saben. ¡Pero si este imbécil no suelta prenda, no dirán ni pío! Nuestros campesinos no son muy locuaces y evitan a toda costa meterse en asuntos que no les conciernen. Pero lo sabían; todos bajaron los ojos avergonzados.

—Venga, en pie —dijo rudamente el Maluret—, has bebido demasiado. Volvemos a la faena.

Pero François, muy nervioso, agarró al muchacho de la manga.

—Oye, no te vayas aún. Tú sabes algo que nosotros no sabemos, de eso estoy seguro. Más de una vez he pensado que esa muerte no fue natural, no se cae uno al agua por despiste cuando se cruza una pasarela que se conoce desde la infancia, en la que el pie reconoce cada tabla. Por otro lado, aquel día el señor Jean había cobrado en Nevers una suma bastante importante. No se encontró su cartera. Se supuso que la perdió al caer y que el río la había arrastrado. Pero también es posible que le robaran, simplemente, le robaran y asesinaran. Óyeme bien: si viste algo que no sabemos, tienes el deber de contárnoslo. ¿No es así, Colette? —añadió, volviéndose hacia su hija.

Ella no tuvo fuerzas para decir que sí, se limitó a asentir con la cabeza.

—Mi pobre niña, esto es muy doloroso para ti. Vete, déjame solo con este chico.

Ella negó con un ademán. Todos callaron. El mozo parecía sereno de repente. Con visible temblor, respondió a las preguntas apremiantes de François:

—Bueno, pues sí, vi como alguien le empujó al agua. Se lo conté a mi abuela esa misma noche, pero ella me prohibió hablar de ello.

—¡Demonios, si ha habido un crimen, hay que denunciarlo, castigar al culpable!... Esta gente es increíble —me dijo François en voz baja—: son capaces de ver cómo matan a un hombre delante de sus narices y callárselo «para no meterse en líos». Vieron lo del pobre Jean y no han dicho nada durante dos años. ¡Colette! Dile que no tiene derecho a callar. ¿Has oído, chico? La viuda del señor Jean te ordena que hables.

—¿De verdad, señora? —preguntó él levantando la mirada hacia ella.

Colette suspiró «sí» y se tapó la cara con las manos. Las mujeres habían dejado los cacharros y habían salido de la cocina. Con las manos juntas sobre la barriga, escuchaban.

—Bueno —dijo el mozo—, de entrada he de decir que aquella noche padre me había castigado por una vaca a la que no había cepillado como es debido. Me dio una paliza y me echó de casa sin cenar. Como yo estaba furioso, no quise volver a entrar. Por mucho que me llamaran a la hora de acostarse, me hacía el sordo. Padre dijo: «Bueno, pues si esas tenemos, que pase la noche fuera. Así aprenderá». Yo ya tenía ganas de entrar, pero no quería que se rieran de mí. De modo que cogí a escondidas un mendrugo de pan y un trozo de queso de la cocina y fui a guarecerme cerca del río. Ya sabe, señora Érard, bajo los sauces de la orilla, donde usted iba a leer a veces, en verano. Fue allí donde oí el coche del señor Jean. «Vaya —me dije—, vuelve antes de lo previsto». Recordará usted que le esperaban para el día siguiente. Pero detuvo el auto en el prado. Se quedó mucho tiempo al lado del coche, tanto tiempo que me asusté, no sé por qué. Era una noche extraña; el viento silbaba y sacudía todos los árboles. Imagino que se quedó un buen rato junto al coche, porque yo no podía verle. Para volver al molino tenía que cruzar la pasarela delante de mí. Parecía como que se estuviera escondiendo, pensé, o que esperase a alguien. Pasó tanto tiempo que me quedé dormido. Me despertó un ruido en la pasarela. Eran dos hombres peleando. Ocurrió tan deprisa que no me dio tiempo a escapar. Uno de los hombres empujó al otro al agua y salió corriendo. Oí el grito del señor Jean al caer, reconocí su voz; decía: «¡Oh, Dios!» y luego se oyó la zambullida. Entonces corrí sin parar hasta llegar a casa y los desperté a todos para contar lo ocurrido. La abuela me dijo: «Tú te vas a callar, no has visto nada, no has oído nada, ¿entendido?». No habían pasado ni cinco minutos cuando apareció usted, señora, pidiendo socorro, diciendo que su marido se había ahogado y que la ayudaran a buscar el cuerpo. Entonces padre bajó al molino; la abuela, que había amamantado al señor Jean, dijo: «Voy a buscar una sábana para amortajarlo con mis propias manos, mi pobre niño desdichado», y madre me mandó a Coudray para avisar que el patrón había muerto. Eso es todo. Es todo lo que yo sé.

—¿No te lo has imaginado? ¿Repetirías lo que nos has contado delante del juez?

Contestó tras un breve titubeo:

—Lo repetiría. Es la verdad.

—Pero ¿a ese hombre que tiró al agua al señor Jean, lo conoces?

Se hizo un largo silencio, un silencio durante el cual todas las miradas se clavaron en el mozo. Colette fue la única que no levantó la vista. Ahora tenía las manos cruzadas delante de sí y las yemas de los dedos le temblaban.

—No le conozco —dijo por fin el muchacho.

—¿No pudiste verle? ¿Un momento siquiera? Sin embargo, la noche era clara.

—Aún estaba medio dormido. Vi a dos hombres peleando. Nada más.

—¿El señor Jean no pidió socorro?

—Si lo hizo yo no lo oí.

—¿Por dónde huyó el hombre?

—Por ahí, hacia el bosque.

François se pasó ambas manos por los ojos muy lentamente.

—Es inaudito. Es… es incomprensible. Siempre puede haber un accidente así, pero solo se explica por un desmayo: no se pierde pie en una pasarela que se ha cruzado diez veces al día durante veinticinco años. Colette dijo: «debió de darle un vahído». Pero ¿por qué? No era propenso al vértigo; tenía una salud excelente. Por otro lado, todos sabemos que se cometieron robos, que se declararon incendios en la comarca, y que aquel año detuvieron a unos vagabundos. A veces me decía a mí mismo que este accidente quizá no fuera tal, y que el pobre Jean había sido víctima de un asesino. Pero lo que cuenta este chico es rarísimo. ¿Por qué no entró Jean directamente en casa? ¿Estás seguro de que se quedó tanto tiempo junto al coche?

—Estabas dormido —le dije al chico—. Tú mismo lo has dicho. Sabes que cuando se duerme se pierde la noción del tiempo. A veces creemos que han pasado unos minutos y lo que ha pasado es media noche. Otras veces, en cambio, los sueños se hacen largos; creemos que hemos dormido mucho tiempo y apenas hemos cerrado los ojos un segundo.

—Eso es verdad —dijeron varias voces.

—A mi entender, esto fue lo que pasó. Este muchacho dormía; se despertó; oyó el ruido del coche; volvió a dormirse; le pareció que había pasado mucho tiempo. En realidad se trataba de los pocos segundos que separaban la llegada de Jean del momento en que cruzó la pasarela. Un merodeador, quizá sabedor de que la casa estaba medio vacía aquella noche puesto que la propia criada se había marchado, un merodeador entró en el molino. La llegada de Jean le sorprendió. Oyó sus pasos y salió corriendo. Jean quiso detenerle. El hombre se defendió y, en el forcejeo, tiró a Jean al agua. Así es como debió de suceder todo.

—Hay que informar a la justicia —dijo François—. Es un asunto grave.

Entonces nos dimos cuenta de que Colette estaba llorando. Los hombres, uno tras otro, se levantaron.

—Venga, vamos a trabajar —dijo el Maluret.

Apuraron sus vasos y salieron. Las mujeres se quedaron solas en la gran cocina, enfrascadas en sus tareas, sin mirar a Colette. Su padre la tomó del brazo, la ayudó a montar en el coche y partimos.

Aquella noche tan apacible me senté en el banco que hay detrás de la cocina, desde donde veo el huertecillo que he empezado a cultivar, porque durante mucho tiempo solo le pedía algunas hortalizas para echar a la sopa, pero desde hace unos años lo cuido. Yo mismo he plantado los rosales, he salvado la viña moribunda, he cavado, he escardado, he podado los frutales. Poco a poco me he encariñado con este pedazo de tierra. En las tardes de verano, al anochecer, ese sonido de la fruta madura que se desprende del árbol y cae suavemente en la hierba me proporciona una suerte de felicidad. Llega la noche... ¿seguro? A eso no se le puede llamar noche: el azul celeste del día se vuelve nublado y verdea, y el resto de colores se retiran gradualmente del mundo visible dejando solo un tono intermedio entre el gris perla y el gris hierro. Pero todos los contornos son perfectamente nítidos: el pozo, los cerezos, la tapia baja, el bosque y la cabeza del gato que juega a mis pies y me muerde el zueco. Es la hora en que la criada vuelve a su casa; enciende la lámpara de la cocina y esa luz hace que instantáneamente todas las cosas entren en una noche profunda. Es el mejor momento del día; y, cómo no, el que ha escogido Colette para venir a pedirme consejo. La he recibido con frialdad, lo confieso, tanto que se quedó desconcertada. Es que cuando salgo a propósito de casa y me mezclo con los demás, me avengo a interesarme más o menos por esas vidas ajenas; pero, retirado en mi agujero, me gusta estar en paz, y no vengáis entonces a importunarme con vuestros amores y vuestros remordimientos.

—¿Qué puedo hacer por ti? —le he dicho a Colette, que lloraba— Nada. No entiendo qué es lo que te atormenta de ese modo. Depende de tus padres que se le dé o no crédito al relato de ese pequeño imbécil. Ve a verles. No son unos niños. Saben de la vida. Les dirás que tenías un amante, que ese amante mató a tu marido... De hecho, ¿cómo sucedió todo exactamente?

—Aquella noche estaba esperando a Marc. Jean no debía volver hasta el día siguiente. Hasta hoy, no entiendo lo que pasó y por qué adelantó su vuelta.

—¿Por qué? Mira que llegas a ser inocente. Porque alguien le advirtió de que esperabas a tu amante esa noche.

Cada vez que oye la palabra «amante», se estremece y baja la cabeza. La oigo suspirar dolorosamente en la noche. Se avergüenza. Pero ¿qué otra palabra puedo decir?

—Creo —dice ella por fin— que quien lo avisó fue la criada que tenía entonces. Sea como sea, yo esperaba a Marc a medianoche. Cuando estaba cruzando la pasarela, mi marido, que le acechaba, se abalanzó sobre él. Pero Marc era más fuerte —¡qué orgullo inconsciente en su voz!—. Marc no quería hacerle daño; solo se defendía. Luego se dejó llevar por la ira. Lo agarró por la cintura, lo arrastró hasta el sitio en que no hay barandilla y lo tiró al agua.

—¿No era la primera vez que ese joven iba a tu casa?

—No...

—¿No le fuiste fiel al pobre Jean durante mucho tiempo?

Sin respuesta.

—Pero tampoco te casaste con él contra tu voluntad, ¿no es cierto?

—No. Le quería. Pero el otro... El primer día que lo vi, ¿sabe?, el primer día, ya habría hecho conmigo lo que hubiera querido. ¿Le parece extraordinario?

—No, qué va, he conocido casos parecidos.

—Se burla de mí. Pero comprenda que yo no había nacido para ser una mala mujer. Si estuviera hecha para tener aventuras todo eso seguramente me parecería muy sencillo: ¡un adulterio que acaba mal, eso es todo! Pero estaba hecha justamente para llevar la vida de mamá, para tener el corazón puro, para envejecer como ella, noblemente, sin dudas, sin remordimientos. Y de repente... Recuerdo que había pasado el día con Jean. Éramos tan felices. Fui a visitar a Brigitte Declos. Éramos amigas. Ella era joven. Yo no tenía amigas de mi edad. Y, extrañamente, nos parecemos. Se lo dije varias veces; se reía, pero seguramente pensaba que tenía razón, porque me contestaba: «Habríamos podido ser hermanas». En su casa conocí a Marc, por primera vez. Y comprendí de inmediato que eran amantes, que ella le quería, y sentí... unos celos insólitos. Sí, estaba celosa antes de estar enamorada. ¡Aunque celos no es la palabra! No, tenía envidia. Envidiaba desesperadamente una clase de felicidad que Jean no podía darme. No solo la felicidad de los sentidos, entiéndalo, sino una fiebre del alma, algo que no podía compararse con lo que hasta entonces había llamado amor. Volví a casa. Lloré toda la noche. Me daba miedo a mí misma. Si Marc me hubiera dejado tranquila, lo habría olvidado, pero le gusté y no dejó de perseguirme. Entonces, un día, varias semanas después...

—Sí.

—Sabía que eso no podía durar. Comprendía que acabaría casándose con Brigitte en cuanto muriera el viejo. Pensaba... la verdad es que no, no pensaba nada. Lo amaba. Me decía que mientras Jean no supiera nada, era como si no hubiese nada. A veces, en mis pesadillas, imaginaba que él lo sabría, pero más tarde, mucho más tarde, cuando fuéramos viejos. Y me parecía que me perdonaría. Pero ¿cómo iba yo a prever esa horrible desgracia? Lo maté. Maté a mi marido. Está muerto por mi culpa. Me lo digo tantas veces que creo que voy a volverme loca.

—Tus lágrimas no le harán volver. Cálmate y trata de evitar el escándalo, porque, evidentemente, una investigación seria descubrirá la verdad sin dificultad. La sabe toda la comarca.

—Pero ¿cómo evitar el escándalo? ¿Cómo?

—Tu padre no debe denunciar, y para eso es preciso que lo sepa...

—¡No puedo! ¡No le diré nada! No puedo. No me atrevo...

—¡Estás loca! No me digas que tienes miedo de tus padres, de tus padres que te quieren.

—Pero ¿es que no lo entiende? Usted que conoce su vida, que sabe lo admirable que es su matrimonio, la idea tan elevada que tienen del amor conyugal, ¿cómo quiere que yo, su hija, les confiese que engañé a mi marido de un modo ruin, que recibía a un hombre en casa cuando él estaba fuera, y, para colmo, que mi amante le mató? Para ellos sería un golpe terrible. ¿Es que no me basta con tener una desgracia sobre mi conciencia? —exclamó, y estalló en sollozos.

Cuando se hubo calmado un poco, le pregunté una vez más para qué había venido a verme.

—¿Y si se lo dijera usted?...

—Pero ¿qué diferencia hay?

—¡Ay, no lo sé! Pero creo que me moriría si tuviera que confesárselo yo misma... Usted... Les haría ver que fue un momento de locura, que yo no soy tan mala, tan depravada, que yo misma no comprendo cómo pude actuar de esa manera. ¿Por qué no se lo dice usted, primo Silvio?

Lo pensé un momento y contesté:

—No.

La pobre Colette lanzó un grito de asombro y desesperación:

—¿No? ¿Por qué no?

—Por muchas razones. Para empezar (no puedo explicarte por qué, pero te ruego que me creas), si el golpe, como tú dices, se lo diera yo, tu madre sufriría mucho más. No me preguntes por qué. No puedo decírtelo. Y luego, porque no quiero estar mezclado en todas vuestras historias. No quiero ser el correveidile de la familia con consuelos, comentarios, consejos y un montón de preceptos morales. Soy viejo, Colette, y anhelo la paz. A mi edad se siente una especie de frialdad... Tú no puedes entenderlo, como yo tampoco entender vuestros amoríos y locuras. Aunque me lo propusiera, no podría ver las cosas como tú. Para ti la muerte de Jean es una catástrofe espantosa. Para mí... he visto tantos muertos... era un pobre muchacho torpe y celoso que ahora está tranquilo donde está. ¿Te acusas de ser la causa de esa muerte? Para mí no hay más causas de lo que sucede que el azar o el destino. ¿Tu aventura con Marc? En fin, sentisteis placer. ¿Qué más queréis? Y de todos modos, a tus padres, no podría evitar contarles unas verdades que les aturdirían y les apenarían, a esas almas de Dios...

Me interrumpió:

—Primo Silvio, a veces me parece...

Vaciló un momento. Luego dijo:

—Usted no les admira como les admiro yo.

—Nadie merece ser admirado con tanto fervor. Como nadie merece ser despreciado con demasiada indignación...

—Ni ser amado con demasiada ternura...

—Tal vez... No lo sé. El amor, ya sabes... A mi edad la sangre ya no bulle, tienes frío —repetí.

Y Colette, de pronto, me cogió la mano. ¡Pobre criatura! Cómo ardía. Dijo dulcemente:

—Le compadezco.

—Yo también te compadezco —le dije con sinceridad—. Te atormentas por muchas cosas.

Nos quedamos un buen rato inmóviles. La noche se tornaba húmeda. Las ranas croaban.

—¿Qué va a hacer cuando me marche? —preguntó.

—Lo mismo que todas las noches.

—¿Es decir?

—Bueno, pues cerraré la cancela. Echaré el cerrojo a las puertas. Daré cuerda al reloj. Cogeré los naipes y haré uno, dos, tres solitarios. Echaré un trago. No pensaré en nada. Me acostaré. No dormiré mucho. Soñaré despierto. Volveré a ver cosas y personas de otros tiempos. Tú vas a volver a casa, vas a desesperarte, vas a llorar, vas a pedir perdón a la foto del pobre Jean, vas a lamentar el pasado y a temblar por el futuro. No sé cuál de los dos, si tú o yo, pasará mejor noche.

Ella calló un momento.

—Me voy —murmuró con un suspiro.

La acompañé a la cancela. Montó en su bicicleta y partió.

Más adelante Colette me contó que no volvió a su casa, que siguió el camino hasta Coudray. En el estado de loca agitación en que se encontraba, necesitaba, con todas sus fuerzas, hacer cualquier cosa, conjurar su pena. Mientras yo le hablaba, me dijo, pensó que además de ella, e incluso más que ella, la persona más interesada en evitar un escándalo era Brigitte Declos, la prometida de Marc. Decidió ir a verla, contarle lo sucedido y pedirle consejo.

¿Conocía Brigitte todos los detalles de la muerte de Jean? Seguramente había adivinado muchas cosas. En todo caso, los hechos habían sucedido hacía dos años: Marc y Colette ya no se veían. Brigitte no estaría celosa de lo pasado. Solo pensaría en salvar a ese hombre con quien iba a casarse dentro de dos semanas. ¿O acaso a Colette no le desagradaba la idea de perturbar un poco esa felicidad? Sea como fuere, tenían intereses en común. Así que se encaminó a casa de Brigitte, que había cenado con la familia de su prometido y estaba sola.

Colette le dijo que Marc corría un grave peligro.

Brigitte lo entendió enseguida. Se puso muy pálida y preguntó qué pasaba.

—¿Sabías que fue Marc quien mató a mi marido? —preguntó bruscamente Colette.

La otra respondió:

—Sí.

—Entonces ¿te lo confesó?

—No tuvo que confesármelo. Lo adiviné esa misma noche.

—Fue entonces —dijo Colette— cuando pensé de pronto: claro, fue ella la que avisó a Jean. Ella sabía, sin duda, que Marc la estaba engañando conmigo. Pensaría: «El marido sabrá separarles». Sabía que Jean era tímido y físicamente débil. No se le pasó por la cabeza que atacaría

padres lo ocurrido, añadiendo que era un justo castigo por su pecado. Pero el miedo a hacer sufrir a unos padres a los que adoraba le había sellado los labios. También imaginaba otros motivos de la partida de Colette, pero, naturalmente, no podía imaginar que había mezclado a Brigitte Declos en la historia.

—Creo —le dije a François— que Hélène tiene razón; Colette lo pasará muy mal si la justicia examina la vida privada de su marido y la suya.

—¡Dios mío! ¡Pobres criaturas! ¡No tenían nada que ocultar!

—Por otro lado, el asesino (si hay uno, si el chico no ha mentido), seguramente se marchó de estos parajes hace mucho.

Pero François negó con la cabeza.

—No será eso lo que le impida cometer otro crimen el día que se vea empujado a ello por la necesidad o la embriaguez. Si mata a alguien en cualquier otra parte, ¿en qué reduce mi responsabilidad? Yo respondo ante mi conciencia de lo que pueda hacer, tanto si es en Saône-et-Loire, en Lot-et-Garonne, en el norte o en el sur.

Miró a su mujer.

—Ni siquiera entiendo por qué estamos discutiendo esto. Me sorprendes, Hélène. ¿Cómo es posible que tú, que tienes una conciencia tan recta y tan pura, no te des cuenta de lo indigno que es encubrir una maldad, solo porque alteraría nuestro reposo?

—El nuestro no, François, el de nuestra hija.

—El deber no tiene nada que ver con el amor paterno o materno —replicó cariñosamente François—. Pero ¿de qué vale discutir? Cuando vuelva Colette hablaremos largo y tendido de todo esto y estoy convencido de que se avendrá a mis razones.

Se hacía tarde; volvieron a su casa; habían venido a pie hasta Mont-Tharaud y me propusieron que les acompañara. A lo largo del camino evitamos, de común acuerdo, hablar de los hijos, pero me daba cuenta de que ellos no podían quitarse de la cabeza el triste suceso y el lance inesperado de la víspera.

Hélène me invitó a almorzar. Acepté. Apenas habíamos acabado de comer cuando alguien llamó a la puerta. La criada anunció a Brigitte Declos.

—Dice que quiere hablar con el señor y la señora —añadió.

Hélène palideció. François, por su parte, pareció sorprendido, pero, como estábamos en el pequeño despacho donde acababan de servirnos el café, le dijo a la criada que hiciera pasar a la visita y se levantó para recibirla.

El despacho es un cuartito acogedor lleno de libros, con dos butacas grandes a ambos lados de la chimenea.

Desde hace más de veinte años es allí donde mis primos pasan sus tardes tranquilas, él con un libro, en una butaca; ella, en la otra, con una labor en las manos; entre ellos, el reloj, que late como un corazón sin remordimientos, lenta y apaciblemente: la imagen de la felicidad conyugal.

Brigitte entró y dirigió una mirada curiosa a su alrededor. No conocía esta pequeña habitación de la casa de mis primos, pues solo les había visitado una vez, el día de la boda de Colette; entonces no había pasado del salón, ceremonioso y oscuro. Aquí todo hablaba de placidez y de un amor profundo y mutuo. Los hombres mienten, pero unas flores, unos libros, unos retratos, unas lámparas, un aire gastado y suave en todas las cosas, son más sinceros que unas caras. Hubo un tiempo en que yo examinaba a menudo todas estas cosas y pensaba: «Son dichosos uno frente al otro. Es como si el pasado no hubiera existido nunca. Son dichosos y se quieren». Luego me resultó tan evidente que incluso dejé de pensar en ello, y por otro lado ya no me interesaba.

Brigitte me pareció pálida y más delgada; era menos... animal, por decirlo así, y más mujer. Me refiero a que había perdido el aplomo insolente de la felicidad; parecía nerviosa y, en las miradas que dirigía a su alrededor, había algo inexplicable, como un desafío, un resentimiento y, al mismo tiempo, curiosidad y angustia. Rehusó la taza de café que le ofreció maquinalmente Hélène y, con voz baja y algo temblorosa, dijo:

—He venido a suplicarle, señor Érard, que no siga adelante con su plan, que no acuda a la justicia a propósito de la muerte de su yerno. Es muy grave. Si se supiera la verdad, esto acarrearía nuevas desgracias.

—¿Nuevas desgracias? ¿Para quién?

—Para ustedes.

—¿Sabe quién mató a Jean?

—Sí. Fue Marc Ohnet, mi prometido.

François se levantó y se puso a andar con agitación por el despacho. Hélène permanecía muda. Brigitte esperó un momento y, al ver que ninguno de los dos hablaba, continuó:

—Vamos a casarnos dentro de unos días. Nos queremos. Sería un escándalo terrible que destrozaría nuestras vidas y no le devolvería la vida a su desdichado yerno.

—Pero, señora —exclamó François—, ¿se da cuenta de lo que dice?... Que el asesino sea un maleante, un vagabundo cualquiera o Marc Ohnet, su prometido, no cambia el crimen, y el hombre que lo ha cometido debe ser juzgado. ¿Cómo se atreve a implorarme en nombre de su felicidad, cuando han destrozado la de mi hija? Esos dos hombres riñeron a causa de usted, supongo. ¿Acaso ambos la cortejaban?

El bueno de François solo tiene un defecto: poco acostumbrado al mundo, se expresa, según el dicho popular, «como un libro abierto» cuando está muy crispado. No sé por qué, hasta hoy este rasgo nunca me había chocado tanto. No pude contener una sonrisa y Brigitte también sonrió: había poca benevolencia en su sonrisa.

—Señor Érard. Le juro que esos dos hombres no riñeron por mí y que Jean Dorin nunca me cortejó. Le está calumniando. Era fiel a su mujer, y yo no le habría hecho caso. Desde hacía cuatro años yo era la amante de Marc Ohnet. No quiero ni he querido a nadie más que a él.

Su mirada desafiante exasperó a François.

—¿No le da vergüenza? —preguntó.

—¿Vergüenza? ¿De qué?

—La que se tiene cuando se comete una mala acción —contestó fríamente—. Su marido era viejo, pero usted tenía el deber de respetarle. Es indigno que usted engañase al hombre que la había acogido cuando estaba con una mano delante y otra detrás, que la consentía y la quería, y que le ha dejado una fortuna. Con su dinero usted se ha comprado a un joven amante...

—El dinero no tiene nada que ver con eso.

—El dinero siempre tiene algo que ver con eso, señora. Soy viejo y usted es muy joven. Sus asuntos, ciertamente, no me incumben, pero dado que usted se considera autorizada para sincerarse conmigo, permítame mostrarle la fealdad que usted, quizá, no ve. Engañó indignamente a su marido. Le ha dejado una fortuna. Su prometido y usted vivirán de esa fortuna. ¡Linda pareja! Y, entre los dos, el recuerdo de un crimen... puesto que me dice que ese desgraciado mató a nuestro pobre Jean. ¡Qué espléndido futuro les espera, señora! Ahora son jóvenes. Solo piensan en su placer común. Piense en lo que será para ustedes la vejez.

—Tan plácida como la suya —dijo ella en voz baja y calmada.

—No.

—¿Está seguro?

Su tono era tan extraño que Hélène se acercó a ella y exhaló un suspiro lastimero. Brigitte pareció dudar, luego añadió:

—Señor, su moralidad es irreprochable —dijo—. Sin embargo, ¿acaso la señora Érard no era viuda cuando se casó con ella?

—¿A dónde quiere ir a parar? ¿Cómo se atreve usted a compararse con mi mujer?

—No le estoy faltando al respeto —contestó Brigitte en el mismo tono bajo y monótono—, solo pregunto... La señora Érard, igual que yo, se había casado en primeras nupcias con un marido viejo y enfermo. Le fue fiel, ¿sabría decirme si esa fidelidad fue siempre fácil y agradable?

—Es cierto que no amaba a mi primer marido —dijo Hélène—, pero no me casé con él contra mi voluntad. De modo que no podía quejarme, como tampoco usted...

—Hay muchas cosas que doblegan nuestra voluntad —dijo Brigitte amargamente—: la pobreza, por ejemplo, el abandono...

—Oh, el abandono...

—Sí, ha oído bien. ¿O es que cree que no fui abandonada?

—La señorita Coudray...

—La señorita Coudray hizo lo que pudo por mí: reemplazó a mi madre. Lo cual no quita para que mi madre se desentendiera de mí. Cuando me quedé sola, ella no dio señales de vida. Así que el primer hombre que se presentó... ¿Cree usted que una muchacha de veinte años se casa voluntariamente con un viejo campesino de sesenta? ¿Con un anciano duro y tacaño? ¿De buen grado? Dice que usted sí. Y su hija de usted, su hija *legítima* —recalcó la palabra—, se casó con Jean Dorin de buen grado, lo que no le impidió ser la amante de Marc Ohnet. Pregúntele a ella; le contará cómo dejaba que Marc la visitara de noche, cómo avisaron a su marido y cómo murió.

Contó lo que había pasado. François y Hélène la escuchaban con estupor. Al ver las lágrimas que corrían por el rostro de Hélène, Brigitte preguntó:

—¿Llora usted por su hija? Pierda cuidado, señora. Ella olvidará, todas estas cosas se olvidan. Con el recuerdo de una mala acción, como dicen ustedes, e incluso de un crimen, se vive muy bien. Usted lo ha hecho —añadió volviéndose hacia Hélène.

—Oh, un crimen —protestó débilmente la pobre mujer.

—Llamo crimen a tener un hijo y abandonarlo. Sea como sea, es peor que engañar a un viejo marido al que no se quiere. ¿No le parece, señor Érard?

—¿Qué pretende decirnos?

Hélène, que temblaba pero había recobrado una serenidad admirable, le hizo una seña a Brigitte para que callara. Se volvió hacia su marido:

—Si has de saberlo, prefiero que sea por mí. Esta criatura tiene derecho a hablar como acaba de hacerlo: yo tuve un amante antes de nuestro matrimonio —se sonrojó dolorosamente bajo sus arrugas—, una aventura que solo duró unas semanas; tuve una niña. No quería confesarte lo que había pasado ni imponerte la presencia de esa hija. Pero tampoco quise abandonarla. Sí, a pesar de lo que dice ella, nunca quise abandonarla. Mi hermanastra, Cécile Coudray, estaba libre y sola; ella se encargó de Brigitte. Creía que era feliz. Poco a poco...

Se interrumpió.

—Poco a poco, usted me olvidó —dijo Brigitte—. Yo siempre lo supe... Un día usted vino a Coudray con su marido y Colette, que aún era pequeña. La niña lloraba; tenía sed. La sentó en su regazo y le dio un beso. Llevaba un vestidito tan mono, una cadena de oro en el cuello... Y yo... ¡qué celos sentí! Usted ni me miró...

—No me atrevía. Tenía tanto miedo a delatarme...

—No es verdad —dijo Brigitte—, simplemente, usted se había olvidado de mí. Siempre lo supe. Cécile me lo dijo. Ella la odiaba; su hermana Cécile. La odiaba casi sin saberlo. Usted era más joven, más bonita, más feliz que ella. Porque usted ha sido feliz. Ya ve. Así que déjeme hacer como usted. No sea demasiado severa con Colette, que la tiene en un altar, y que preferiría morir antes de mostrarse ante usted tal como es. Yo no tengo tanto pudor. No pondrá la denuncia, ¿verdad, señor Érard? Son asuntos de familia que deben quedar entre nosotros.

Esperó una respuesta que no llegó. Se levantó, recogió tranquilamente su bolso y sus guantes, se acercó al espejo que había sobre la chimenea y se colocó el sombrero. En ese momento la criada entró para recoger el servicio de café. Diligente, curiosa. Luego Hélène acompañó a la joven a través del jardín hasta la verja. Al poco rato regresó.

—Aquí no pinto nada —dije—. Cuidado, no vayáis a decir algo que después podáis lamentar.

Hélène me dirigió una mirada profunda:

—No te preocupes, Silvio.

François dejó que me fuera sin devolverme el saludo. No se había movido; de pronto parecía muy envejecido, y ese rasgo frágil que hay en sus facciones se había acentuado; parecía un hombre herido de muerte.

Les dejé, pero no volví a mi casa. El corazón me latía como no lo había hecho nunca. Todo el pasado cobraba vida. Tenía la impresión de haber estado dormido durante veinte años y haber reanudado la lectura donde la había dejado. Maquinalmente, me acerqué al banco que está bajo la ventana del despacho y desde donde podía oír algunas de sus palabras. Pasó un buen rato sin que oyera nada. Luego él la llamó:

—Hélène...

Yo estaba medio oculto por un enorme rosal. Pero podía ver el interior del cuarto. Veía al marido y la mujer sentados uno al lado del otro, cogidos de la mano; no habían cruzado una palabra. Un solo beso, una mirada entre ellos habían borrado el pecado. No obstante, él le preguntó en voz muy baja, con vergüenza:

—¿Quién?

—Está muerto.

—¿Le conocía yo?

—No.

—Pero ¿tú le quisiste?

—No. Solo te he querido a ti. Fue antes de nuestro matrimonio.

—Pero nosotros ya nos queríamos. Yo, por lo menos, ya te amaba.

—¿Cómo quieres que te explique lo que pasó? —exclamó ella—. Fue hace más de veinte años. Durante varios días no fui «yo». Fue como si... como si alguien hubiera irrumpido en mi vida y hubiera vivido en mi lugar. Esa desdichada me acusa de haber olvidado. ¡Es verdad, he olvidado! Los hechos no, por supuesto. No esos meses horribles que precedieron a su nacimiento, ni su mismo nacimiento, ni esa aventura... Sino los motivos que me empujaron a actuar así. Ya no los entiendo. Es como una lengua extranjera que aprendiste una vez y se te ha olvidado.

Hablaba febrilmente, muy deprisa y muy bajo.

Yo escuchaba prestando una atención apasionada, pero algunas palabras se me escapaban. Oí que decían:

—... Quererse como nos queremos... y descubrir a otra mujer.

—¡Pero si es la misma, François! François, querido...
Fue el amante quien tuvo a una mujer falsa, distinta de
la verdadera, una máscara, una mentira. La de verdad
solo la posees tú. Mírame. Es tu Hélène la que te hace la
vida agradable, la que ha dormido en tus brazos todas las
noches desde hace veinte años, la que se ocupa de tu casa,
la que siente tu dolor a distancia y lo sufre más que tú, la
que pasó los cuatro años de guerra temblando por ti,
pensando solo en ti, esperándote.

Dejó de hablar y se hizo un largo silencio. Conteniendo
el aliento, me escurrí sigilosamente de mi escondite. Crucé el jardín. Llegué a la carretera. Caminaba deprisa y me
parecía que un calor olvidado renacía en mis huesos. Era
extraño: Hélène había dejado de ser una mujer para mí
hacía mucho tiempo. A veces pienso en una negrita que
tenía en el Congo, y en esa inglesa pelirroja, de piel como
la leche, que vivió dos años conmigo cuando estaba en
Canadá... Pero ¿Hélène? Todavía ayer habría necesitado
hacer un esfuerzo para decirme: «¡Pues sí, por cierto, sí,
Hélène!...». Como esos viejos pergaminos en que los antiguos habían escrito relatos voluptuosos y que más tarde los monjes habían raspado pacientemente para escribir encima la vida de algún santo rodeada de miniaturas

ingenuas. La mujer de veinte años atrás había desaparecido para siempre bajo la Hélène de hoy. La única verdadera, decía ella. Me sorprendí diciendo en voz alta: «¡No! ¡Miente!».

Después me reí de mí mismo por haberme alterado así. En definitiva, la cuestión es esta: «¿Quién conoce a la mujer verdadera? ¿El amante o el marido? ¿De verdad son tan distintas entre sí? ¿O están sutilmente mezcladas, inseparables? ¿Están hechas de dos sustancias que al unirse forman una tercera, distinta de las anteriores?». Lo que equivale a decir que a la mujer verdadera no la conoce ni el marido ni el amante. Sin embargo, es la más simple de las mujeres. Pero he vivido lo suficiente para saber que no hay corazones sencillos.

No lejos de mi casa me encontré con uno de mis vecinos, el compadre Jault, que recogía sus vacas. Hicimos un trecho del camino juntos. Me di cuenta de que tenía una pregunta en la punta de la lengua y dudaba en plantearla. Al final se decidió, justo cuando yo me disponía a separarme para entrar en casa. Jault golpeaba distraídamente el flanco de la vaca, un animal rojizo con cuernos en forma de lira.

—¿Es verdad lo que cuentan por ahí, que la señora Declos va a vender sus fincas?

—No he oído nada de eso.

Pareció decepcionado.

—Pero no podrán vivir aquí.

—¿Y eso por qué?

Por toda respuesta, musitó vagamente:

—Más les valdría.

Luego añadió:

—Dicen que el señor Érard tiene toda la intención de poner una denuncia. Que el señor Dorin murió de mala manera y que Marc Ohnet está implicado en el asunto.

Le contesté:

—No, se lo aseguro. El señor Érard es un hombre demasiado prudente para alertar a la justicia sin tener más pruebas que los chismes de un arrapiezo. Le digo esto porque me parece que usted está al corriente del asunto, señor Jault. No olvide que un hombre injustamente acusado también puede denunciar a todos los que han hablado mal de él sin pruebas. ¿Comprende?

Alzó el cayado y reunió a las reses a su alrededor.

—No se puede impedir que la gente hable —dijo simplemente—. Está claro que aquí nadie querrá enredarse en pleitos. Si la familia no mueve un dedo no lo hará nadie en su lugar, eso seguro. Pero usted, que conoce a la señora Declos y a Marc Ohnet...

—Les conozco muy poco...

—Dígales que lo vendan todo y se vayan. Será mejor para ellos.

Se tocó la gorra con la punta de los dedos, murmuró «adiós» y se alejó. Había anochecido.

Volví a casa tan tarde, después de entretenerme en la taberna del pueblo, que la criada estaba inquieta. Había bebido. Se puede decir que casi nunca me emborracho. No soy enemigo de la botella, y en la huraña soledad de mi vida ella es mi compañera; me apacigua como lo haría una mujer. Pero soy heredero de una larga estirpe de campesinos borgoñones que se han metido entre pecho y espalda un litro por comida como si fuera agua, y siempre mantengo la cabeza fría. Esa noche, sin embargo, me encontraba alterado. En vez de calmarme, el vino me exasperaba, me provocaba una especie de rabia. Como si lo hiciera a propósito, mi vieja criada nunca había sido tan lenta. Deseaba que se marchara de una vez, como si estuviera esperando a alguien. Y así era: esperaba a mi juventud. Acudiría más a menudo, el recuerdo de los años lejanos, si nos volviéramos hacia él, hacia esa suprema dulzura. Pero si dejamos que se duerma en nosotros, ¡o peor aún! que se muera, se corrompa, de modo que a esos generosos movimientos del alma que nos impulsan a los veinte años, más adelante los llamamos ingenuidad, tontería... Nuestros amores puros, ardientes, cobran la apariencia degradante de los placeres más viles. Esa noche no era solo mi memoria la que reencontraba el pasado, sino mi propio corazón. Reconocía esa rabia, esa impaciencia, ese vivo anhelo de felicidad. Sin embargo, no era una mujer viva la que me esperaba, sino una sombra, hecha de la misma materia que mis sueños. Un recuerdo. Nada tangible, nada cálido: ¿y qué necesidad tienes de calor, vejestorio de corazón seco? Miro mi casa y me horrorizo. Con lo ambicioso y activo que era yo antes, ¿cómo puedo vivir así, arrastrándome día tras día, de la cama a la mesa y de nuevo a la cama? ¿Cómo puedo vivir así? Ya no existo. Ya no pienso en nada, no quiero nada, no deseo nada. En mi casa no hay periódicos ni libros. Me duermo junto al fuego y fumo en pipa. Acaricio al perro. Hablo con la criada. Y pare usted de contar, no hay nada más. Regresa, juventud mía, regresa. Habla por mi boca. Dile a esa Hélène tan razonable, tan virtuosa, que ha mentido. Dile que su amante no está muerto, que se ha dado demasiada prisa en enterrarme, pero que estoy muy vivo y me acuerdo de todo. ¡Ha mentido! ¡La verdadera mujer que lleva dentro, la mujer ardiente, alegre, atrevida, ávida de placer, a esa fui yo quien la conoció, solo yo! François se ha quedado con la imagen pálida y fría, tan falsa como un epitafio en una lápida, pero yo he poseído lo que ahora está muerto, yo he poseído su juventud.

Caramba... este vaso de vino me ha puesto en un estado de agitación insólito. Tengo que dominarme. La criada me mira con estupor. La sopa lleva un buen rato en la mesa y yo sigo en la cocina, sentado en el sillón grande de enea, escribiendo, fumando, a veces apartando con el pie al perro que busca una caricia. Para empezar, necesito estar solo. No sé por qué. Esta noche no podré soportar una presencia humana en mi casa. Solo quiero fantasmas... No tengo hambre; le digo a Louise que quite la mesa y se vaya. Ella guarda las gallinas. Todos esos ruidos familiares... El maullido del postigo, el chirrido del pestillo, los largos suspiros del cubo que baja al pozo para conservar hasta mañana en agua fresca la botella de vino blanco y la pella de mantequilla. Aparto la botella que tengo a mi lado. La aparto, pero me lo pienso mejor; la agarro, lleno el vaso: el vino da una lucidez extrema a mi pensamiento. Y ahora, Hélène, ¡por nosotros!

Es muy propio de ti, es propio de una mujer virtuosa eso de decirle a su esposo que lo que pasó hace veinte años solo fue un momento de locura. ¡Ya! ¿Un momento de locura? Pues yo digo que fue solo entonces cuando viviste y que desde entonces has fingido, has imitado los gestos de la vida, pero el sabor verdadero, el que solo se prueba una vez —ya sabes, ese sabor a fruta que tienen los labios jóvenes—, lo conociste gracias a mí, a mí solo. «Pobre viejo Silvio, mi buen amigo, pobre Silvio en su madriguera de ratas». Pero ¿de verdad me habías olvidado? Si te digo la verdad, yo también te había olvidado. Han hecho falta las palabras de nuestra pequeña y la desesperación y la vergüenza vana de la pobre Colette, ayer, y también, sobre todo, el exceso de vino, para que haya vuelto a encontrarte. Pero ahora que estás aquí no dejaré que te escapes tan fácilmente, puedes estar segura. Oirás de mí la verdad, como la oíste entonces, cuando fui el primero en hacerte comprender la belleza de tu cuerpo y la maravillosa fuente de felicidad que era para ti. (No querías, eras tímida y casta, en esa época... Un beso sí, pero nada más... Pese a todo, cediste. ¡Y qué amante fuiste!) ¡Y cómo nos amamos!... Porque, compréndelo, es muy fácil decir «Fue un arrebato, fueron unas semanas de locura que recuerdo con horror». Pero no borrarás la verdad y la verdad es que nos amábamos. Tú me amaste hasta olvidar la existencia misma de François, hasta el punto de consentir cualquier cosa con tal de no perderme. ¡Oh, sí, hace un momento, tu honesto rostro de mujer madura, de buena madre de familia, tu expresión horrorizada cuando te enteraste de que tu hija Colette recibía a un hombre en su casa, en ese idílico Moulin-Neuf, en ausencia de su marido! ¡Y qué me dices de ti! ¡Colette es digna hija de su madre! Y la otra también, lo ha sacado de nosotros dos. Son criaturas vivas, mientras que nosotros llevamos veinte años muertos, porque ya no amamos nada, esa es la verdad. Porque no irás a decirme que amas a François, ¿verdad? Sí, es tu amigo, tu esposo, estáis acostumbrados a estar juntos. Podríais vivir como hermano y hermana. En realidad, después del nacimiento de Loulou, seguro que así es; pero tú no le has querido nunca, me quisiste a mí. ¡Vamos, acércate, ven a mi lado y recuerda! ¿Te has vuelto hipócrita? Claro que no, es lo que pensaba yo: eres otra. ¿Cómo decías?... A los veinte años alguien nos suplanta y vive en nuestro lugar. Sí, un desconocido retozón, alado, radiante, que enciende nuestra sangre, devasta nuestra vida y luego desaparece. Pues bien, yo quiero resucitar a ese desconocido. Escúchalo. Míralo. ¿No lo reconoces? ¿No recuerdas el gran pasillo blanco y frío, y a tu viejo marido (no François, el primero, el que lleva mucho tiempo muerto, aquel cuyo nombre ya no pronuncia nadie), tu marido en su cama, con la puerta de su cuarto entornada, porque era celoso y desconfiado, y cómo nos besábamos, tú y yo, esa gran sombra proyectada en el techo por la luz de la lámpara, esa sombra que a veces vuelvo a ver en sueños, eso éramos tú y yo, pensábamos. ¡En realidad no era ninguno de los dos, sino el rostro del desconocido, parecido a nosotros y distinto de nosotros, que desapareció hace tanto tiempo!

Hélène, amiga mía, ¿recuerdas el primer día que nos vimos? François te conoció siendo una niña. Cuando Colette estaba prometida y bebíais ponche en mi casa, François habló de vuestro pasado. No me concierne. Yo no te conocí siendo niña, sino mujer, atada a un marido viejo, esperando a que se muriera para casarse con François. En esa época, él estaba ausente, en el extranjero. Tenía un puesto de profesor de francés en una universidad de Bohemia. Yo regresaba de un largo viaje. Tú eras joven y guapa, y te aburrías. Pero aguarda. Pongamos orden en nuestros recuerdos.

El primer marido de Hélène era un Montrifaut, un primo de mi madre. Cuando Hélène se casó yo vivía en África. Sucedió antes de la guerra de 1914. Cuando me marché, Hélène aún era una niña. Sin embargo, recuerdo que cuando mi madre me contó lo de esa boda —la buena mujer me escribía todas las semanas una especie de crónica en la que me hablaba de las cosas y la gente de la comarca, seguramente para inspirarme cierta añoranza y el deseo de volver—, recuerdo que estuve pensando en esa niña a la que apenas conocía. Recuerdo la noche sofocante, la choza, el quinqué que humeaba en un rincón, los lagartos que perseguían a las moscas en las paredes blancas, a mi negra Fifé con su turbante verde. Leía la carta, fantaseaba; imaginé esa unión tan despareja y dije de repente en voz alta: «Es una pena».

Aunque sea imposible prever el futuro, creo que algunos sentimientos muy intensos se anuncian con meses, años de antelación, con una extraña corazonada. Por ejemplo, la tristeza funesta que siempre me embargó en las estaciones de ferrocarril al anochecer, no la entendí, no la *reconocí* hasta años después, durante la guerra, en esas estaciones de clasificación donde, siendo soldado, esperaba el tren que me llevaría al frente. Pasa lo mismo con el amor: años antes de entrar en mi vida pasó sobre mi corazón como un soplo. Aquella noche, en África, tenía calor, tenía sed, tenía fiebre, estaba amodorrado, me quedé dormido y en mi sueño estaba con una mujer, una francesa, una joven de mi tierra. Pero cada vez que me acercaba a ella, se apartaba. Yo extendía los brazos y, por un instante, tocaba sus mejillas frescas, cubiertas de lágrimas. Pensé: «¿Por qué llora esta chica? ¿Por qué no deja que la bese?». Quería atraerla hacia mí; ella desaparecía y yo la buscaba entre una muchedumbre que era la

de los domingos provincianos en la iglesia, una muchedumbre de campesinos con blusones negros. Incluso
recuerdo este detalle: un viento impetuoso, que soplaba
desde no se sabe dónde, hinchaba esos blusones como
velas. Cuando desperté, aunque el rostro de la joven había estado oculta a mi vista, me dije: «Caramba, pero si
he soñado con la pequeña Hélène, que acaba de casarse
con Montrifaut».

Dos años después, por fin, regresé a Francia.

Mi madre habría podido retenerme si me hubiera
dejado vivir a mi aire; pasar los días en el bosque y las
noches a su lado. Pero ella, naturalmente, quería que me
casara. En estos pagos las uniones se forman durante
unos banquetes largos y solemnes a los que se invita a
todas las jóvenes casaderas. Los hombres acuden con una
idea formada de las cifras y dotes y de las expectativas,
como se acude a una subasta conociendo el precio de
salida de cada objeto, pero, en ambos casos, sin saber la
máxima puja.

¡Cenas de mi tierra! Sopa espesa que podría cortarse
con cuchillo, un lucio pescado en el estanque de la here-
dad, enorme, mantecoso, pero tan repleto de espinas que
es como meterse un erizo en la boca. Y mientras se come
nadie dice una palabra. Todos esos grandes pescuezos
inclinados hacia delante masticando despacio, como los

bueyes en el establo. Y después del lucio llega la primera carne, preferentemente un ganso asado, luego la segunda carne, esta en salsa, con su olor a hierbas y a vino. Para terminar, después de los quesos que los invitados comen con la punta del cuchillo, la tarta de manzana o cereza, según la estación. Luego ya solo queda pasar al salón y escoger en ese círculo de muchachas con vestidos rosas (antes de la guerra todas las chicas casaderas llevaban vestidos rosas, del pálido rosa de la peladilla al rosa crudo del jamón en lonchas), entre todas esas jovencitas, con su medallita de oro en el cuello, el pelo recogido en un moño sobre la nuca, guantes de filadiz y manos rojas, a la compañera de tu vida. Entre ellas se encontraba Cécile Coudray, que entonces tenía treinta y dos o treinta y tres años, pero seguían sacándola con la esperanza de encontrarle un marido y la enfundaban en esa librea rosa de la virginidad, pobre joven apagada y seca, con los labios fruncidos, sentada no lejos de su hermanastra más joven, ella sí casada y feliz.

La primera tarde que vi a Hélène llevaba un vestido de terciopelo rojo, algo que por entonces y en este mundo se consideraba atrevido: era una joven morena... A ver, me gustaría describirla. No puedo. Será porque desde el principio la miré demasiado de cerca, como todo aquello que se codicia; ¿conoce uno la forma y el color del fruto que se lleva a la boca? A las mujeres que se ha querido, como yo la quise a ella, desde el primer día parece que las hemos visto a la distancia de un beso. Ojos negros, piel dorada, vestido de terciopelo rojo, expresión a la vez ardiente, alegre y azorada, esa expresión distintiva de la juventud, de desafío, ansiedad y entusiasmo... Recuerdo... Su marido debía de tener la edad del viejo Declos en vísperas de su muerte, pero no era campesino: mi primo había sido notario en Dijon; era rico; había traspasado su oficina varios meses antes de casarse y había comprado la casa que Hélène ha heredado y donde vive ahora con su marido y sus hijos. Era un anciano alto y blanco, frágil y transparente; mi madre me contó que en otro tiempo había sido un hombre muy apuesto, famoso por su éxito con las mujeres. A su mujer casi no le permitía que se separase de él; cuando ella se alejaba, «Hélène», decía con voz ligera como un soplo, y entonces ella... Oh, ese movimiento de impaciencia, ese movimiento de hombros, aún delgados, que se estremecían bruscamente, como lo hace un potro cuando se toca su capa con la punta de la fusta... Creo que si la llamaba así era justamente para darse el gusto de ver ese ademán colérico y la voluptuosidad de sentir que ella le obedecía. La vi y recordé mi sueño.

Entonces yo era joven. Me pregunto si el rostro del hombre que he sido vive aún en algún recuerdo. Hélène, desde luego, lo ha olvidado. Pero tal vez alguna de esas jovencitas de rosa, convertida en señora mayor y que no he vuelto a ver, recuerde aquel muchacho flaco, tostado por el sol, con su bigotito negro bajo el que asomaban unos dientes afilados. Una vez le hablé a Colette de mi bigote retorcido, para hacerla reír. No, yo no era ese típico joven de 1910, raya al medio y pelo engominado como una cabeza de cera de barbería. Era más ágil, más fuerte, más alegre, más aventurero que los jóvenes de hoy. Marc Ohnet se parece un poco a mí. Lo mismo que a él, el exceso de virtud no me cohibía. Habría sido tan capaz de arrojar al agua a un marido celoso, así como de beber, cortejar a la mujer del prójimo, pelearme, soportar las peores penalidades y los climas más duros. Era joven.

Así fue nuestro primer encuentro: un salón provinciano; un gran piano de cola entreabierto, enseñando los dientes. Una jovencita vestida de rosa salmón —Cécile Coudray— cantando «Hoy más que ayer y mucho menos que mañana», la familia dormitando, digiriendo con esfuerzo el ganso asado y la liebre encebollada, y una mujer con vestido rojo muy cerca de mí, tan cerca que me bastaba con extender la mano para tocarla, como en mi sueño, tan cerca que siento el fresco y fino olor de su piel, tan cerca y sin embargo tan lejos...

Cuando volví a casa aquella noche, tenía la firme intención de visitar otra vez a Hélène y un plan de seducción trazado en mi cabeza: ella tenía veinte años, un marido viejo y belleza; me parecía inconcebible que se me resistiera mucho tiempo. Imaginé los encuentros, primero inocentes, luego las citas más secretas, más culpables, y por último una aventura que finalizaría al cabo de unos meses, en el momento de mi partida. Es curioso recordar, después de tantos años, que la forma de nuestras relaciones sería precisamente esa: yo la había amasado toscamente con mis deseos y mis sueños. Lo que no podía prever era la llama que ardería en ella, ni que el rescoldo oculto bajo las cenizas después de tantos años seguiría quemándome el corazón. ¡Qué extraños son los acontecimientos que obedecen a nuestros deseos! Cuando era niño, en la playa, recuerdo un juego que me gustaba y prefiguraba toda mi vida: cuando subía la marea cavaba una zanja en la arena y el mar se precipitaba con tal violencia por el camino que le había trazado que a su paso destruía mis castillos de guijarros, mis diques de limo; lo arrasaba todo, lo devastaba todo, lo hacía desaparecer, dejándome con el corazón encogido y sin atreverme a quejarme, porque él no había hecho más que acudir a mi llamada. Lo mismo con el amor. Le haces una seña, le trazas un camino. La ola se abalanza, tan

distinta de como creías que iba a ser, tan amarga y helada, hasta tu corazón.

Traté de verme con Hélène en la casa de su marido.
Busqué un pretexto y por fin recordé que en su jardín
crecían unas rosas magníficas, carmesíes, vigorosas, esas
rosas de tallo muy largo, con espinas afiladas y duras
como el acero, que tienen poco perfume pero un aspecto robusto y vulgar, carnoso y reluciente como la mejilla
de una hermosa aldeana.

Me inventé una historia: quería darle una sorpresa a
mi madre y encargar para ella, en la ciudad, unos rosales
parecidos a esos. Me permití entrar en casa de Hélène
para preguntarle el nombre exacto de esas flores.

Me recibió. Tenía el pelo suelto bajo el sol deslum-
brante y una podadera en la mano. Cuántas veces la he
recordado así. Todavía hoy conserva una belleza innata
como la del melocotonero, esa textura delicada de la piel
que apenas conoce el maquillaje, dorada por el sol y el
aire.

Me contó que su marido estaba enfermo. Empezaba
entonces la larga enfermedad que padecería durante dos
años hasta dejarla viuda; él tenía la coquetería de cerrar-
le la puerta a su mujer cuando sufría ataques: era el asma
de los viejos, unos sofocos dolorosos. Más tarde, cuando
ya no pudo levantarse de la cama, exigía su presencia

constante. Pero en la época de la que hablo ella todavía tenía libertad; en todo caso para recibirme y decirme el nombre de las rosas en un gran salón con los postigos entornados, donde una abeja zumbaba sobre un ramo. Recuerdo que la casa tenía ya ese olor dulce a cera fresca, lavanda y mermelada cociendo en grandes ollas.

Le pedí permiso para volver a verla. Lo hice, una, dos, diez veces. La acechaba a la entrada del pueblo, los domingos a la salida de la iglesia, a la orilla del río, en el bosque y en ese Moulin-Neuf donde Colette, después... Ella lo ha olvidado, aún no habían reconstruido el Moulin-Neuf. Viejo y sombrío, a pesar de su nombre, acompañado por el fragor del río, sus viejos muros aparecieron a menudo ante nuestra vista cuando íbamos a visitar a la molinera, a las afueras de Coudray. Pocos días después del encuentro con Hélène, su madrastra murió. Tacaña a más no poder, no había querido desprenderse de un caballo que había comprado a muy buen precio y que era demasiado joven para ser enganchado; el caballo volcó en una cuneta el coche que ella misma conducía a la salida de la iglesia. Cécile se hizo una fea herida en la cara, pero su madre se fracturó el cráneo y murió en el acto. Cécile heredaba la pequeña finca de Coudray y una exigua renta; siempre había sido huraña y tímida. Esa herida que la desfiguraba acabó arrebatándole la confianza en sí misma;

no quería ver a nadie; siempre creía que se burlaban de ella. Al cabo de unos meses se convirtió en el ser extraño que conocí al final de su vida, flaca, renqueante, de ademanes nerviosos, volvía constantemente la cabeza a derecha e izquierda, con los movimientos bruscos de un pájaro viejo. Hélène la visitaba con frecuencia en Coudray y yo, como lo sabía, iba casi todos los días a casa de la buena de Cécile con cualquier pretexto; luego acompañaba a Hélène hasta la linde del bosque.

Un día, al ver que yo miraba el reloj de péndulo y trataba de alargar mi visita, me dijo:

—Hélène ya no vendrá hoy.

Protesté, diciendo que no había venido por Hélène. Pero... ella se levantó; cruzó la habitación; pasó maquinalmente el dedo por el respaldo tallado de una butaca y miró si había rastro de polvo (en casa, su madre la había obligado a hacer todas las tareas domésticas y nunca la dejaban descansar: no paraba de deambular nerviosamente por la habitación, ajustando una cortina, echando el aliento a un espejo deslustrado, recolocando el tallo de una flor, mirando a todas partes como si esperase ver a su madre acechándola en la oscuridad). Me dijo con voz grave:

—Señor Silvestre, nadie ha venido nunca a mi casa para verme a mí... Hasta que cumplí los diecisiete años no se me ocurrió pensarlo. Luego, cuando empezaron a venir jóvenes, unos venían por la criada, otros por la hija de la jardinera, que era rubia y bonita, y cuando Hélène creció era por ella. Todo sigue igual. No me sorprende. Pero no querría que se burlasen de mí. Así que limítese a decirme que quiere ver a Hélène y yo le indicaré los días y horas en que la espero.

Hablaba con una pasión contenida que hacía daño.

—¿Usted quiere a su hermana? —pregunté.

—Hélène no es mi hermana. Para mí es una extraña, pero la conocí siendo muy pequeña y la quiero, sí, la quiero. Además, ella no es más feliz que yo —añadió con una sombra de satisfacción—. Cada cual tiene sus miserias.

—Sobre todo, no vaya a pensar que ella lo sabe... No podría soportar que usted imaginara no sé qué complicidad...

Negó con la cabeza:

—Hélène es una mujer fiel —dijo.

—¿De verdad? Su marido, dada su edad, no puede esperar, razonablemente, una fidelidad que en este caso sería casi monstruosa —repliqué con pasión—. Ella tiene veinte años y él más de sesenta. Lo único que puede explicar una unión así es la desesperación.

—En efecto, eso lo explica. Compréndalo, al ser Hélène hija de un primer matrimonio, mi madre...

—Lo sé, pero, en estas condiciones, ¿cree que se puede hablar de fidelidad?

La solterona me lanzó una rápida mirada:

—Yo no he dicho que le será fiel a su marido...

—¡Vaya! ¿A quién, entonces?

—Eso pregúnteselo usted.

Y volvió a moverse con paso vacilante por la sala de Coudray; tropezaba con los muebles como un ave nocturna encerrada en una habitación. Ahora que lo pienso, al recordar la expresión que tenía entonces, el relato de Brigitte se ilumina con una luz diabólica, siniestra, como si fuera la propia alma de esa solterona la que se me apareciese. Nunca le perdonó a Hélène el haber sido amada más que ella. Me recuerda el cruel comentario de una persona de mi familia que había tomado bajo su protección a una mujer pobre del campo y le llevaba provisiones, zuecos, golosinas y juguetes para sus hijos. Un día esa campesina le dijo que iba a casarse de nuevo —había perdido a su marido en la guerra— con un mozo apuesto y honrado, tan pobre como ella. Entonces su benefactora dejó de visitarla. Cuando la mujer, al encontrársela poco después, le hizo un cariñoso reproche («La señorita se ha olvidado de mí»), mi familiar contestó secamente:

—Mi pobre Jeanne, yo no sabía que eras feliz.

Cécile Coudray, que había salvado el honor de Hélène y quizá su vida cuando la creía en las últimas, nunca
pudo perdonarle su felicidad. Es humano.

Le supliqué, angustiado:

—¿Qué quiere decir?

Pero la vieja lechuza se contentó con agitar sus os-
curas alas ante mí. Todavía llevaba luto por su madre y
los velos de gasa ondeaban a su alrededor. Salí de Coudray más violentamente enamorado de lo que nunca
había estado. Y la reserva que aún me retenía delante de
Hélène cedió; la cortejé... ¡Oh! Como se hacía entonces,
con mucha dulzura, mucho pudor. Nada parecido a las
declaraciones brutales de los jóvenes de hoy. Supongo
que Marc Ohnet se habría reído de mí. Pero ¿qué diferencia hay, si en el fondo es la misma cosa, el mismo
deseo... el mismo torrente atronador y devorador del
amor? Ella me escuchó con una gravedad triste y profunda; me dijo:

—Cécile no le ha mentido. Amo a alguien.

Y entonces me contó su encuentro con François, que
este la amaba desde que era casi una niña, su partida, su
propia vida desdichada con su familia y, para colmo, ese
matrimonio con un viejo y el regreso de François. ¡No
habían querido engañar al viejo esposo! Se habían sepa-
rado.

—¿Y ahora espera usted a que se muera su marido?
—le pregunté.

Palideció un poco; luego negó con la cabeza.

—Tiene cuarenta años más que yo —observó con
dulzura—. Sería ridículo pretender que le quiero. Pero
no deseo su muerte. Lo cuido lo mejor que puedo. Para
él soy... —vaciló—... una amiga, una hija, una enfermera,
lo que usted quiera. Una mujer no. Su mujer no. Pero
quiero serle fiel a pesar de todo, no solo con el cuerpo
sino con el alma. Por eso François y yo nos hemos sepa-
rado. Él ha aceptado un trabajo en el extranjero. Ni siquiera nos escribimos. Yo aquí cumplo con mi deber. Si
mi marido muere, François esperará unos meses antes de
volver. Se hará todo sin precipitación. No queremos pro-
vocar ningún escándalo. Volverá y nos casaremos. Y si mi
marido vive todavía muchos años, peor para mí. Mi juventud pasará, y todas mis posibilidades de ser feliz, pero
no tendré una acción ruin sobre mi conciencia. En cuanto a usted...

—En cuanto a mí —dije—, lo mejor que puedo hacer es marcharme cuanto antes.

Me repitió todo lo que las mujeres suelen decir en
casos semejantes: que no debía estar resentido, que no
había sido coqueta sino que se sentía sola, que valoraba
mucho las amistades, que yo sería su amigo... Yo lo úni-

co que veía era que ella quería a otro, y sufría. Así acabó el idilio.

Era el año 1912. Volví a África, donde estuve un par de años. Regresé a Francia unos meses antes de la guerra. Mi madre había muerto. Mi primo Montrifaut aún vivía. Fui a verle; estaba muy enfermo y —todos lo esperaban— cerca de su fin: le mantenían vivo a fuerza de inyecciones; su actitud exigente era insoportable, con arrebatos de ira casi dementes.

—Lo pasa mal y atormenta a los demás —decían.

Todos coincidían en elogiar la conducta de Hélène:

—Pero a ella le queda ya poco por sufrir —murmuraban las señoras provincianas, y suspiraban con piedad y envidia a la vez, pensando en la herencia.

Aunque me enteré de algo que la gente del lugar no sabía: el viejo Montrifaut solo le dejaba a su mujer una pequeña parte de su fortuna; el resto iría a la familia de su hermano. Hélène conocía estas disposiciones, pero era (y sigue siendo) de esas mujeres cuyo desinterés es absoluto y, en cierto modo, forma parte de su naturaleza. Hélène no sería quien es si obrara por interés personal, un rasgo que comparte con François. De modo que ella sabía que su entrega no tendría recompensa, lo que precisamente le exigía que esa entrega fuese total. Tenía mucha necesidad de sentirse bien consigo misma.

—A fin de cuentas —me dijo— ha sido bueno conmigo, pese a todo.

El enfermo padecía agotadores ataques de asma, pero cuando le vi se quejó sobre todo de un cruel insomnio. Estaba sentado en la cama (después convirtieron ese dormitorio en salón). Llevaba un pañuelo anudado en la cabeza, a la antigua usanza; su figura era extraña y pavorosa, con su gran nariz afilada proyectando su sombra en la pared. En la mesilla había una lamparilla encendida. Hablaba con un hilo de voz.

Me dijo que desde hacía meses no sabía lo que era dormir. Para reconfortarle, le dije que a su edad no se necesitaba dormir mucho para estar bien, que mi madre habría vivido más si no hubiera padecido somnolencias frecuentes durante las cuales la sangre invadía lentamente su cerebro, lo que acabó por matarla.

—Sí, sí —dijo—, pero imagínate... Dos meses sin dormir... es horrible, porque duplica mi vida.

Exclamé:

—¡Y aún se queja usted! ¡Pues a mí no me bastarían diez vidas!

Era verdad. Por entonces me sentía tan fuerte que esperaba llegar a los cien años.

Mientras decía esto miré a Hélène.

Ella suspiró. Ese suspiro involuntario quería decir muchas cosas. Estaba pálida y delgada. En esos dos años su aspecto se había deteriorado mucho; se le notaba la falta de ejercicio y de aire puro; estaba confinada sin salir de ese dormitorio de enfermo. Cuando me vio se mostró tranquila y sonriente, como de costumbre, pero al estrecharme la mano, al dirigirme las triviales palabras de bienvenida, su voz la traicionó: de repente hubo un quiebre, un agujero en las palabras amables y vagas que pronunciaba; era una alteración súbita y profunda del timbre de su voz, como si la sangre hubiera afluido bruscamente a su corazón, y yo, al contestarle, oí la misma grieta en mi propia voz. Nos miramos, de pie junto al enfermo, yo con un aire de triunfo mal disimulado, ella con una suerte de consternación. ¡Y ese suspiro!... Significaba que me comprendía, que envidiaba mi libertad, que también ella, en otras circunstancias, habría podido desear diez vidas para apurarlas todas, pero veía esos días, esos años, huidos, perdidos para el amor.

Cuando me acompañó a la puerta le pregunté si tenía noticias de François. Ella dirigió una mirada nerviosa a la cama del moribundo.

—No me escribe nunca —dijo.

—¿El acuerdo que hay entre ustedes se mantiene aún?

—Sí. François no es de los que cambia.

Hoy me pregunto hasta qué punto tenía razón. François, viviendo su vida en la pequeña ciudad de Bohemia, ¿qué hacía durante esa hermosa primavera ardiente? ¿No habría, en el trasfondo de su existencia, una guapa campesina, una criada lozana? Al fin y al cabo, los tres éramos jóvenes. No se trata únicamente de los apremios de la carne. No, no es tan sencillo. La carne puede quedar satisfecha. Pero es el corazón el que es insaciable, el que necesita amar, desesperarse, arder en un fuego cualquiera... Era eso lo que queríamos. Arder, consumirnos, devorar nuestros días como el fuego devora los bosques.

Era de noche, en la primavera de 1914, que fue la más hermosa de las primaveras. Detrás de nosotros la puerta seguía abierta, y veíamos en la pared la sombra de una gran nariz huesuda. Estábamos de pie en el pasillo blanco donde después Hélène, con sus niños agarrados a su falda, acudió tantas veces a recibirme. Su voz cordial y serena me decía:

—¿Eres tú, querido Silvio? Entra. Queda un huevo y una chuleta. ¿Quieres almorzar?

Querido Silvio... Aquella noche no me llamó así, sino que decía únicamente:

—Silvio (la propia palabra era una caricia), ¿piensa quedarse mucho tiempo por aquí?

No contesté, pero pregunté, señalando la sombra del enfermo:

—¿Es muy duro?

Se estremeció.

—Muy duro, sí, pero no quiero que me compadezcan.

Insistí cruelmente:

—Pero va a morirse pronto. François volverá.

—Volverá —dijo ella—, sí. Pero habría hecho mejor quedándose.

—¿Le sigue queriendo?

Hablábamos maquinalmente. Nuestros labios se movían, pero mentían. Solo nuestros ojos se interrogaban, y se reconocían. Pero cuando la tomé en mis brazos, entonces nuestros labios, por fin, fueron sinceros.

Nunca olvidaré ese momento. Fue entonces cuando vi la sombra de nuestras cabezas fundidas en la pared blanca como la tiza. Por todas partes luces, tenues lamparillas. Por todas partes, en ese gran pasillo desnudo sombras que bailaban, vacilaban y se alejaban.

—Hélène —llamó el enfermo—, Hélène.

No nos movimos. Ella parecía sorber, beberse mi corazón. Cuando la solté, ya la quería menos.

IRÈNE NÉMIROVSKY TERMINÓ DE ESCRIBIR ESTA
HISTORIA EN JUNIO DE 1941, COINCIDIENDO
CON LA INVASIÓN NAZI DE LA UNIÓN SOVIÉTICA,
Y UN AÑO ANTES DE SU TRÁGICA MUERTE
EN AUSCHWITZ.

PEQUEÑOS TESOROS DE LA LITERATURA
Título original: *Chaleur du sang*
Autora: Irène Némirovsky

© 2023 RBA Coleccionables, S.A.U.
© 2023 RBA Editores Argentina, S.R.L.

© de la traducción: Juan Vivanco Gefaell, 2023.

Ilustración de cubierta: Cristina Serrat
Diseño de cubierta y de interior: Luz de la Mora
Realización editorial: Editec Ediciones

ISBN (OC): 978-84-1149-551-6
ISBN (Libro): 978-84-1149-740-4
Depósito legal: B 17057-2023

Impreso por Black Print CPI Ibérica, S.L.
Impreso en España – *Printed in Spain*

Para Argentina:
Editada, Publicada e importada por RBA EDICIONES ARGENTINA S.R.L.
Av. Córdoba 950 5º Piso "A". C.A.B.A.
Distribuye en C.A.B.A y G.B.A.: Brihet e Hijos S.A., Agustín Magaldi 1448 C.A.B.A.
Tel.: (11) 4301-3601. Mail: ventas@brihet.com.ar
Distribuye en Interior: Distribuidora General de Publicaciones S.A., Alvarado 2118 C.A.B.A.
Tel.: (11) 4301-9970. Mail: circulacion@dgpsa.com.ar

Para Chile:
Importado y distribuido por: El Mercurio S.A.P., Avenida Santa María Nº 5542,
Comuna de Vitacura, Santiago, Chile

Para México:
Editada, publicada e importada por RBA Editores México, S. de R.L. de C.V.
Av. Patriotismo 229, piso 8, Col. San Pedro de los Pinos, CP 03800, Alcaldía Benito Juárez,
Ciudad de México, México
Fecha primera publicación en México: febrero 2024.
ISBN (Obra completa): en trámite.
ISBN (Libro): en trámite.

Para Perú:
Edita RBA COLECCIONABLES, S.A.U., Avenida Diagonal, 189. 08019 Barcelona. España.
Distribuye en Perú: PRUNI SAC RUC 20602184065
Av. Nicolás Ayllón 2925 Local 16A El Agustino. CP Lima 15022 - Perú
Tlf. (511) 441-1008. Mail: pedidos@pruni.pe